잔 다 르 크

잔다르크

발　행 | 2024년 5월 8일
저　자 | 김수정
펴낸이 | 한건희
펴낸곳 | 주식회사 부크크
출판사등록 | 2014.07.15.(제2014-16호)
주　소 | 서울특별시 금천구 가산디지털1로 119 SK트윈타워 A동 305호
전　화 | 1670-8316
이메일 | info@bookk.co.kr

ISBN | 979-11-410-8404-2

www.bookk.co.kr

잔 다 르 크

김수정 지음

CONTENT

잔다르크

1. 신의 계시

장다련. 그녀는 평범한 10살의 여학생이었다.

그녀는 어느 날, 앉아서 열심히 수업을 듣고 있는 그 와중에, 신의 계시를 듣게 되었다.

'장다련은 들어라!

가수가 되어 세상을 비추는 인물이 되어라!'

신의 목소리였다.

아니, 그건 정말로 신의 목소리였다.

장다련은 그 후부터 꿈이 가수가 되었다.

원래 꿈이 없던 소녀였는데 말이다.

*

그 후부터 유명한 소속사 잔다르크엔터테인먼트의 가수 연습생이 되어

연습을 하기 시작했다.

학교는 일찍 조퇴하고 연습을 하기 일쑤였다.

맹연습에 다련은 힘들어 죽는 것 같았다.

도대체 나에게 왜 이런 시련이 닥쳐온 건지, 알 수가 없었다.

예술이라는 분야는, 나에게 맞지도 않는 옷인데...

목소리가 다 쉬어서 잘 나오지도 않았다.

".....다련아. 괜찮아? 너 너무 연습했어."

다련의 연습실로 다련의 연습생 친구 김민지가 나와 말했다.

"...괜찮아."

"괜찮긴 뭐가 괜찮아! 이그. 목소리가 다 쉬었네. 도대체 왜 그렇게

열심히 하는 거야? 그렇게 열심히 한다고 해서 너에게 이득 되는 게 있기나 해?

...우리 선배 연습생분들, 없어지는 이유가 뭔지 알아? 다 성상납 때문이래."

민지가 말했다.

"....그딴 거 알게 뭐야. 스폰이니 뭐니 그딴 거, 안 믿어.

막말로 오늘 죽을 지도 모르는데, 나한테 그런 일이 있을리가 없잖아."

다련이 말했다.

"....넌 호방해서 좋겠다. 난 대형 기획사라 그런 일이 없을 줄 알고 왔는데,

더 심하다고 해서 무서워 죽겠어. 우리 아직 열 살 이 잖아."

민지가 말했다.

"...넌 허우대만 멀쩡하지, 속은 텅 빈 강정 같아. 그게 무서우면 세상 어떻게 살아?"

다련이 말했다.

"...야! 스폰 받는 게 얼마나 무서운 일인데! 사람 취급도 못 받고!"

민지가 말했다.

"...그건 그래. 나는 말이야... 무슨 종목의 가수를 해야 할까? 발라드? 댄스?"

다련이 말했다.

"...우리 나이에는 댄스 가수 연습생 밖에 할 수 있는 게 없어. 그래야 빨리

데뷔해서 돈 벌지."

민지가 말했다.

"....데뷔해서... 돈을 번다고?"

다련이 말했다.

"그래. 데뷔해서 돈 벌려고 너 연습하는 거 아니었어?"

민지가 말했다.

'아닌데. 난 신의 계시를 받고 연습하는 건데.'

다련이 속으로 생각했다.

"........그렇지, 뭐! 하하하!"

다련이 차마 신의 계시를 받았다고 말하면 미친 년 취급 받을까 봐

말하지 못하고 대충 둘러댔다.

*

프로듀서실.

"다련아. 네 데뷔 년도 정해졌다. 네가 열 다섯살 되는 해에 데뷔할거야."

대표이자 프로듀서인 박서준이 말했다.

"....정말요?!"

다련이 놀라며 말했다.

"...그래. 축하한다."

서준이 말했다.

*

다음 날 연습실.

연습실에 가니 연습생들이 울고있는 민지를 감싸고 있는 모습을 볼 수가 있었다.

"....다련이 왔다."

여자연습생1이 말했다.

"....다련아, 민지 대신 네가 데뷔조 붙었어."

쿵-....

여자연습생2의 말에 다련의 마음에 큰 돌덩이가 내려앉은 듯 내려앉았다.

다련이 자신의 친구 민지에게 서서히 다가갔다.

민지는 크게 울고 있었다.

대형 연예기획사 연습생을 할 정도로 예쁜 김민지의 얼굴이 크게 울고 있었다.

다련이 나즈막히 말한다.

".....괜찮아? 김민지...... 미안해. 내가 네 대신 데뷔조 붙어버려서...."

다련의 말에 민지가 다련을 쳐다보더니 다련의 목을 껴안았다.

"엉엉엉..... 나 대신 열심히 해!!! 장다련... 그러지 않으면 진짜 나 너 안 볼 거야.

너 가수 된 후에도 멀리서도 안 볼 거야....."

민지가 말했다.

울음 섞인 목소리로.

"....응.... 그래..... 알았어."

다련이 민지의 등을 토닥이며 말했다.

*

데뷔조는 언제든지 무산될 수 있는 거였다.

그렇기에 다련은 더욱 더 열심히 연습했다.

그럴 수록 다련의 실력은 더욱 더 향상되어갔다.

김민지는 데뷔조에서 떨어지고 다른 중형 소속사로 옮겨갔다.

"엉엉.... 나 중형 소속사에서 데뷔하게 됐어!! 나도 너처럼 5년 뒤에!!

가서도 연락할게!! 기지배야!!"

민지가 엉엉 울며 다련에게 말했다.

"...알았어. 김민지. 얼른 가 봐."

다련이 말했다.

민지가 여행용 캐리어 가방을 들며 손을 흔들었다.

민지는 많은 연습생들의 인사를 받으며 그 곳을 떠났
다.

킁.... 슬프다.

슬프지만 울지 않아야지.

울면 지는 거니까.

*

학교.

학교는 오전 수업만 받고 오후에는 연습을 나가야만
했다.

내 짝꿍이 된 큰 안경을 쓴 이상한 여자아이.

"안녕? 난 민하린이라고 해."

하린이 말했다.

"민하린? 이름 되게 예쁘네. 반가워. 난 장다련이라고
해."

다련이 말했다.

"네 이름도 예뻐~ 우리 오전만이라도 친구 하자."

하린이 말했다.

"하지만 난 점심밥도 안 먹고 회사로 가는데... 괜찮겠
어?"

다련이 말했다.

"괜찮아! 친구가 많으면 많을 수록 좋거든! 나 여기서
친구가 한 명 뿐이라서!"

하린이 말했다.

"그래? 그렇다면... 그러지, 뭐."

다련이 말했다.

*

오후에는 민지가 없어진 연습실에서 연습을 해야하니 왠지 적적했다.

킁.... 모두와 친해질 수 있게 노력해야지.

"....장다련 말이야. 걔 좀 이상하지 않니? 나이 많은 아저씨랑 자고 다닌다는 소문이

있던데..."

연습실 안.

연습생들이 다련의 뒷담을 까고 있었다.

"....요즘엔 10살도 그러고 다닌다니? 정말 대단하다. 걔."

"그러니까~ 우리 걔랑은 놀지 말자!"

"그래, 그래~ 어차피 걔 친구도 김민지 하나 밖에 없었 었잖아~"

"데뷔조 너네들 특히 장다련이랑 놀지마! 같은 데뷔조 니까!"

"알았어!"

쿠웅-.....

이를 밖에서 다 듣고 있었던 다련의 가슴이 쿵 하고 내려앉았다.

"여기서 뭐 하냐?"

남자 연습생 윤태원이 말했다.

"....아, 아무 것도 아니야."

다련이 말하며 그 자리에서 벗어났다.

"....야."

그 자리에서 멀리 도망치려던 다련을 태원이 말로 붙잡았다.

"......"

"...쟤네들이 혹시라도 너 괴롭히면 말해. 다 그냥 뇌에 우동만 찬 빡대가리들이니까."

태원이 말했다.

그리고는 다련을 스치고 지나갔다.

아무도 없는 연습실 복도에서 그제서야 다련은 눈물을 뚝뚝 흘렸다.

신이시여......

이것이 신이 원하시던 신의 계시인가요?

그러시다면......

전......

이 신의 계시를 받아들일 자신이 없어요.....

다련이 눈물을 뚝뚝 흘리며 개인 노래 연습실로 갔다.

*

개인 노래 연습실 안.

눈물을 하도 흘려 목소리가 잠겼다.

"....큼...... 슬퍼하지 말자. 장다련. 너 아직 열 살이야."

똑똑-

누군가가 다련이 있는 연습실 문을 두드렸다.

"...누구세요?"

다련이 의자에서 뒤돌아서 누군가 쳐다봤다.

"너 잘하나 보러왔어. 선생님이야."

다련의 여자 보컬선생님 김하나이다.

"...아, 선생님."

다련이 말했다.

"...노래는 잘 되고 있는 거야?"

하나가 말했다.

"...네, 그럼요."

다련이 말했다.

"너무 힘들면 말 해. 쉬엄쉬엄해도 되니까. 우린 다련
이가 잘하는 거 다 알고 있으니깐."

하나가 말했다.

그리고는 웃으면서 연습실을 나갔다.

다련이 노래연습을 다시 하기 시작했다.

"다시 너로 돌아가

이렇게 희망의 노랠 불러 새롭게

널 기다리는 세상을 기대해 봐

다시 달려가 보는 거야

힘이 들고 주저앉고 싶을 땐 이렇게

기쁨의 노랠 불러 씩씩하게

언젠가 모두 추억이 될 오늘을 감사해

기억해 힘을 내 마이 프렌드"

요즘 너 말야라는 노래를 다 부른 다련이 가쁜 호흡을
내쉬었다.

이럴 때 민지가 있었다면 힘이 되었을 텐데.....

*

"윤태원 말이야. 너무 잘생기고 매력있지 않니?"

"맞아 맞아. 잘생긴 애들은 널렸는데 그렇게 매력있는
애는 처음 봤어.

무덤덤한 매력이 쩔더라."

댄스 연습실 안.

여자연습생들이 둥그렇게 모여앉아있는데 그 곳에 다
련만 쏙 빼고 앉아있다.

다련은 혼자 앉아있다.

'무덤덤한 매력은 무슨.... 별로 매력도 없더만.'

다련이 속으로 생각했다.

"아!! 오늘 학교 숙제 있었지?? 너희들도 있지 않니??
숙제 하러 가자!"

"그래, 그래!!"

여자연습생들이 다련만 혼자 남겨 두고 그 댄스 연습
실 안을 빠져나갔다.

댄스 연습실 안에서 다련 혼자 댄스 연습을 30분 가량

하다가 다련이 한숨을

내쉬며 댄스 연습실 안을 빠져나왔다.

"휴···."

"한숨은 왜 쉬냐?"

윤태원이다.

"····무슨 상관이셔?"

다련이 말했다.

"···너랑 나, 둘 다 열 살 밖에 안 됐어. 그런데 무슨

한숨이냐고."

태원이 말했다.

"내 마음이다. 왜?"

"너, 따지?"

윤태원이 말했다.

"뭐, 뭐?"

"너 왕따냐고."

태원이 말했다.

"·····왕따라기 보다는···· 그냥 은따·······"

다련이 말했다.

"···에휴···. 인생 왜 그렇게 사냐······ 애들 중에 부잣집

애들 많으니까 그렇다고

이 회사 사람들한테나 경찰한테 알릴 생각하진 마라.

소용 없을 테니까."

태원이 말했다.

"....하, 학교 선생님들이나 부모님들한테는...?"

다련이 말했다.

"....너네 학교 선생들은 관심 없을테고. 너네 부모님들이야 가난하니까 해결 못해줄테고.

네 편은 아무도 없어. 간다."

태원이 말했다.

정말로 태원은 가버렸다.

".......윤태원이라도 내 편이 되면 좋을텐데......."

다련이 혼잣말했다.

*

다련의 집.

가난한 다련의 집은 한적했다.

가난한 집의 외동딸인 장다련은 늘 집안일도 씩씩하게 해냈다.

"다련이 왔어? 설겆이는 엄마가 할게."

설겆이를 하려던 다련을 막아서며 다련의 엄마가 말했다.

"히히, 고마워요. 엄마."

"뭘 이런 걸 가지고.... 친구들하고는 잘 지냈어?"

뜨끔.

다련 엄마의 말에 다련이 속으로 뜨끔했다.

".....자, 잘 지냈죠!! 하하!! 아주 아주 잘 지내요!!!"

다련이 말했다.

"친구들하고 싸우지 말고 잘 지내. 다 네 소중한 자산
들이야."

다련의 엄마가 말했다.

엄마......

나는.....

싸울 친구도 없는 걸요.....

학교 친구 민하린 밖에는 아무도 없어요....

*

"뭐? 그럼 너, 회사 연습생 중에서 은따야?"

민하린의 친구 이새유가 말했다.

"쉿!!! 조용히 해. 누가 듣겠어."

다련이 말했다.

"....어쩜 그럴 수가 있냐. 너도 하나의 인간이잖아."

하린이 말했다.

"....나도 모르겠어. 누가 내 헛소문을 퍼뜨려서, 그렇게
되었는데,

아무도 도움을 줄 수 있는 사람이 없어...."

다련이 말했다.

"학교에서라도 잘 지내면 되지. 너무 상심하진 마."

새유가 말했다.

"그래. 새유 말이 맞아."

하린이 말했다.

*

회사 연습실.

"너희!!! 누가 과자 먹으래!!"

다련이 화장실에 간 사이에 연습실 안으로 아이돌 선생님이 들이닥쳤다.

그러자 여자연습생들이 몰래 먹던 과자들을 숨겼다.

"그.... 그게..."

"...장다련!!! 걔가 먹으라고 했어요!!!"

여자연습생이 거짓말을 쳤다.

다련이 화장실에서 연습실로 다시 돌아오자 여자 아이돌 선생님이 다련을 크게
혼내켰다.

"...장다련!! 네가 애들한테 과자 먹으라고 했어??"

"네?? 저 아닌데요...."

"네가 아니면 체중 관리 해야 될 애들이 과자를 먹고 있겠어?? 잘못했다고 똑바로
말 못해???"

"...아니... 진짜로 저 아니라구요...."

다련이 울먹이며 말했다.

그러자 옆에서 몰래 킥킥대며 여자연습생들이 다련을
째려봤다.

"빨리 잘못했다고 해!!"

"잘....못 했어요..... 흑흑....."

다련이 울면서 말했다.

여자 아이돌 선생님이 나간 후에 장다련은 그 곳에 못 있겠다는 듯 그 곳을 빠져나갔다.

*

밖.

"장다련. 너 이제 열 살 밖에 안 됐어. 가수 되려면 키도 커야 되고....."

다련이 훌쩍거리며 혼잣말했다.

"여기서 뭐하냐? 또 쌩쑈 떠냐?"

윤태원이 바지 주머니에 두 손을 아무렇게나 찔러넣고 고개를 갸우뚱하며 다련에게 말했다.

"....윤태원!! 넌 또 여기 왜 왔어!! 저리 가!!"

다련이 말했다.

"....왜 갑자기 소리는 쳐? 고막 터지겠네. 씹."

태원이 말했다.

"씹...???"

다련이 말했다.

"그래. 욕 좀 할 수 있는 거지. 안 그래?"

태원이 말했다.

"....너 나랑 친구하고 싶냐??"

다련이 말했다.

"내가 미쳤냐? 너랑 친구하게?"

태원이 말했다.

"우리 연애 금지거든??"

"내가 미쳤어?? 너랑 연애하게??"

태원이 말했다.

"그, 그럼 나한테 말 걸지 마!"

다련이 말했다.

"싫어."

태원이 말했다.

"도대체 왜??"

다련이 말했다.

"....그냥. 너만 보면 불쌍해서 도와주고 싶어."

태원이 말했다.

부.... 불쌍????

신의 계시를 받은 내가..... 불.쌍....?????

".....네가 뭘 도와줄 수 있는데?? 나 오늘 애들한테 과자먹으라고도 안했는데

과자 먹으라고 했다고 누가 거짓말쳐서 선생님한테 혼났어. 억울하게 누명 썼다구.

그런 나를 네가 어떻게 도와주는데??"

다련이 말했다.

".....특별한 건 아니고. 내가 여자는 안 때리거든? 회사 대표한테 꼰지르면 일이 다 해결되지.

걔네들이 제일 무서워하는게 대표거든."

태원이 말했다.

"네가 회사 사람들한테 얘기하지 말라며!"

다련이 말했다.

"....안 되겠다. 내가 오늘 그냥 애들한테 말해볼게. 장다련 괴롭히냐고."

태원이 말했다.

"......시, 싫어.... 그것만은...."

다련이 말했다.

"내가 말 안하면 오늘처럼 계속 억울한 누명을 쓰게 될텐데?"

태원이 말했다.

"....그러면...... 말 하던가....."

다련이 말했다.

"오늘은 이만 돌아가. 내가 말할테니까."

태원이 말했다.

*

다음 날.

회사 연습실.

갑자기 여자연습생들이 다련에게 아양을 떨기 시작했다.

"다련아~ 나랑 친해지자~"

"나랑 숙제 같이 할래~?"

어젯 밤.

콰앙-!!!!

회사 여자 연습실.

모여 앉아있던 여자 연습생들 중 하나의 멱살을 잡고 들어올리는 윤태원.

"네가 주동자냐?"

태원이 말했다.

"....뭐, 뭐가? 태원아... 이것 좀 놓고..."

"너 맞지? 네가 입이 제일 싸잖아. 네가 장다련 왕따 시켰지?"

태원이 말했다.

".....마... 맞아.... 내가 장다련 헛소문 퍼뜨렸어."

"...내가 진짜 때리고 싶은데.... 후..... 여자는 안 때려 서 말이야.

내가 이래뵈도 진짜 힘이 세거든?"

태원이 말했다.

"아... 알지.... 태원이 싸움 잘 하는 거....."

".....알면 내일부터 장다련한테 잘들 해줘라. 알겠냐?"

태원이 말했다.

그로부터 일주일 후.

데뷔조가 아닌 친구들은 모두 다 윤태원 때문에 울며 회사를 퇴사했고,

다련을 포함한 데뷔조 네 명만 남았다.

이혜정,김민주,유지예였다.

"주동자 드디어 퇴사했네. 그 동안 동조해서 미안했어."

혜정이 말했다.

"...그래. 나도 미안해."

민주가 말했다.

"나도 미안해. 주동자 그 년이 너무 무서워서 어쩔 수 가 없었어."

지예가 말했다.

"우리 앞으로 친하게 지내자?"

혜정이 말했다.

상큼하게 웃으면서.

마음 같아서는 저 상큼하게 웃는 얼굴을 개박살 내주 고 싶지만.....

다련은 애써 웃으며 그 마음을 삼켰다.

"...그래!!"

그리고 다련의 둘도 없는 친구들이 되어주었다.

*

작품후기(작가의 말)-1화 작품후기입니다. 즐겁게 쓴 것 같아요. 계속 연재 할지는 잘 모르겠네요......

2.

한 편, 윤태원은.....

연습생 친구들과 함께 연습실에서 댄스 연습 중이다.

댄스 연습을 한참 동안이나 했을까.

힘들어서 그들은 바닥에 주저앉거나 누워버렸다.

"힘들다~ 야, 윤태원. 넌 안 힘드냐??"

한동주가 말했다.

"안 힘들어."

태원이 말했다.

"...몰래 연애하는 연습생들 많을 것 같지 않냐??"

한동주가 말했다.

"...몰라. 관심 없어."

태원이 말했다.

태원은 연습실 한 쪽 기둥에 서있었다.

"....하긴. 윤태원 너 덕분에 여자연습생들 다 나가서 연애할 사람도

없긴하다, 야. 그래도 유지예 괜찮은 거 같지 않냐?"

동주가 말했다.

"....우리 나이에 연애는 무슨. 피식."

태원이 말했다.

"야! 나 간다. 찾지 마라."

태원이 말하고선 연습실 문을 열고선 나가버렸다.

*

밤 11시.

10살 짜리는 돌아다니지 않는 그 시간에, 장다련은 버스를 타기 위해

돌아다니고 있었다.

회사 버스를 타고 있던 태원이 돌아다니고 있는 장다련을 보고선 말한다.

"....버스기사님, 잠시만 멈춰주세요."

"응?? 여기 멈추는 곳 아닌데??"

"...같이 못 탄 친구가 지나다니고 있어서요. 열 살 짜리요."

태원이 다련을 쳐다보며 말했다.

결국 다련은 회사 버스를 탔다.

"......뭐야. 이런 것도 있었어?"

다련이 말했다.

"...병신. 이런 버스가 있는 것도 몰랐냐?"

태원이 말했다.

"뭐..... 자리는 많아서 좋네."

다련이 태원과 최대한 먼 자리에 앉았다.

"야!!! 장다련!!! 너 일로와서 앉아."

태원이 소리를 빽 질렀다.

"....이미 안전띠까지 맸는데?"

다련이 말했다.

".....싫다 이거냐?"

태원이 띠꺼운 표정을 지으며 말했다.

"아, 아니..... 갈게. 간다. 가."

다련이 태원의 옆자리에 앉았다.

태원의 옆자리 창가자리는 밤풍경을 아름답게 보이게 했다.

"나 먼저 간다."

다련이 말했다.

"잘 들어 가라."

태원이 말했다.

*

아니, 그러니까.....

쟤가 왜....

이 학교에 전학을 온 건데???

학교에 전학 온 윤태원을 보며 장다련의 입이 쩍 벌어 졌다.

"윤태원이다."

한 마디 띡 하고선 나를 꼬라보는 저 놈.....

"하하하.... 태원아.... 남은 자리가 맨 뒷자리인데 거기로....."

"...전 장다련 옆자리에 앉고 싶은데요."

선생님 말은 싹둑 잘라먹는 싹수 노란 저 놈이.....

우리 학교 학생이 되어버렸다니....

어찌된 일인지 선생님은 같은 회사 연습생끼리 앉으면 좋겠다며 나를

저 싹수 노란 놈 옆자리에 놓고선 가버렸다.

"야."

태원이 말했다.

"뭐, 뭔데?!"

다련이 말했다.

"...너.... 아.... 아니다."

태원이 말했다.

"하려던 말이 뭐길래 싹둑 잘라먹는데?!"

다련이 말했다.

"......너...... 나 쳐다보지 마라...... 뒤진다......"

태원이 말했다.

"....옆에 앉았는데 어떻게 안쳐다봐?"

다련이 말했다.

"....아, 어쨌든 쳐다보지마. 네가 쳐다보면 사람들이 이상하게 생각해."

태원이 말했다.

"아, 알겠어. 안 쳐다볼게."

다련이 말했다.

다련의 표정은 썩창이 되어있었다.

초절정 잘생긴 태원은 학교 인기남이 되려고 했으나.....

"뭘 봐? 꺼져."

저 놈 특유의 싹바가지 없는 성격 덕에 인기남 자리는 물건너가버렸다.

"새유야, 하린아, 잘 지내~"

다련이 말했다.

"응! 너도~"

새유가 말했다.

"기지배야, 내일 보자!!"

하린이 말했다.

"응~"

다련이 말했다.

그리고는 태원을 버려두고선 가버렸다.

*

회사 연습실 가는 길.

"야. 야!"

뒤에서 부르는 목소리.

쫄아서 뒤돌아봤다.

역시나. 윤태원이다.

"왜 그래?"

다련이 말했다.

"....너 나 좋아하냐? 학교에서 나 왜 쳐다봤냐? 쳐다보지 말랬지?"

태원이 말했다.

".....미친 놈. 내가 너같이 싹수 노란 놈을 왜 좋아해? 그리고 내가 쳐다보긴 언제 쳐다..... 봐...?"

다련이 말했다.

그래. 솔직히 말하면 조금 쳐다보긴 했다.

아주 조금.

아주 조금이다!!!

".....쳐다봤네. 내가 그렇게도 좋냐?"

태원이 말했다.

".....쌩지랄을 떠네. 누가 너같은 놈을 좋아하냐?"

다련이 말했다.

"....쌩지랄이라니. 너 입이 험악해졌다??"

태원이 말했다.

"네가 말이 안 되는 소리만 해대니까 그렇지!! 갑자기 나한테 왜 그러는데??

전학은 왜 갑자기 왔고?? 대표님이 시키디???"

다련이 말했다.

".....됐고. 나 아역배우 촬영제의 들어왔다. 부럽지?"

태원이 말했다.

".....아니. 전혀 안 부러운데."

다련이 말했다.

"아역 CF도 들어왔어. 존~나 부럽지???"

태원이 말했다.

"...전~~혀 안 부럽다. 새끼야."

다련이 말했다.

"씨발. 넌 도대체 어디다가 장단을 맞춰줘야 되는 거냐?"

태원이 말했다.

"씨발이라니. 씨발이라니...!! 너... 너..... 어린 애가 그렇게 함부로 입에 욕을 쓰면 안 돼..!!"

다련이 말했다.

"그건 네가 아무 것도 모르기 때문이야...!!!!!"

태원이 말했다.

"내가 대체 뭘 모르는데?"

다련이 말했다.

"...하.... 말을 말자. 내가 병신하고 뭔 말을 하겠냐."

태원이 말했다.

그리고선 다련을 지나쳐 먼저 회사 연습실로 들어가버렸다.

"쟤가 왜 저런대...."

다련이 태원의 뒷모습에다 혼잣말을 했다.

*

개인 노래 연습실 안.

"I know that you`ve been calling me

(그대가 내게 계속 전화했다는 것을 알아요.)

And I`m happy that we met

(우리가 만난 것이 기뻐요.)

Don`t think that I`m not interested

(내가 관심이 없다고 생각하지 말아요.)

I`m just playing hard to get

(일부러 그런척 하는 거예요.)

So much about this crazy game they call love

(뭔가에 홀딱빠진 이런 게임을 사람들은 사랑이라고 하죠.)

That I`m trying to understand

(내가 알고 싶은게 바로 그거예요.)

So would you be my best friend

(그래서 나의 가장 친한 친구가 되어 주실래요)

Before you call yourself my man

(그대가 자칭 절친한 친구라 부르기 전에)

Why can`t I love you in slow motion

(왜 난 당신을 조금씩 다가가며 사랑할 수 없을까요)

Take my time

(서두르지 말아야지)

Take away the pressure on my mind

(내맘속의 조급함을 날려 버려야지)

Really get to know you

(정말 당신과 친해지고 싶어요)

But rewind

(다시 말하지만)

Wanna love you in slow motion

(당신과 조금씩 다가가며 사랑하고 싶어요)

Why can`t I

(난 왜 그게 안될까요)"

Slow Motion 노래 연습을 열렬히 마친 장다련은 지쳐 있었다.

결국 녹초가 되어 의자에 아무렇게나 눕듯이 앉아버렸

다.

'신의 계시를 이룬다는 건, 힘든 일이구나....'

다련이 생각했다.

어찌 생각해보면, 신의 계시가 아닐 수도 있었다.

단지 그럴 거라 믿는 것 뿐이었다.

*

그렇게 일 년이 지났다.

시간은 야속하게도 빠르게 지난다.

아역 CF를 찍게 되었다.

무사히 다 찍고 나왔는데, 험상궂게 생긴 PD아저씨가
말한다.

"....가난한 집에서 외모 하나만으로 이 자리까지 왔으
면,

애기라해도 겸손할 줄 알아야지."

울컥.

다련이 속으로 울컥했다.

가난한 집에서 태어난게, 가난한 게 내 죄인가...?

다련은 울컥한 걸 참고선 그 자리에서 빠져나왔다.

*

김정민과 한동주, 윤태원, 진 선.

네 명으로 데뷔조가 꾸려졌다.

남자 가수팀은 보통 적어도 5명인 경우가 많지만, 특
이하게 네 명이었다.

연습이 다 끝난 후. 밤 10시.

윤태원이 짐을 주섬주섬 챙기는데 진 선이 말을 건다.

"......솔직히 말해. 너 장다련 좋아하지?"

".....별.... 병신같은 소리 하지 마라."

태원이 말했다.

"....너희 둘.... 티격태격하면서 서로 좋아하잖아~"

선이 말했다.

"....미쳤냐? 내가 그딴 애를 좋아하게?"

태원이 말했다.

"그럼 뭔데? 자꾸 챙겨주는 이유가?"

선이 말했다.

"......넌 알 필요 없다. 나 간다."

태원이 말하며 그 자리를 빠져나갔다.

*

밤 10시 30분.

남들보다 연습을 더 많이 하고 나온 다련이 그제서야 짐을 챙기고 회사 버스를

타기 위해 나왔다.

간신히 차에 올라탔는데...... 왠걸, 일찍 끝나서 들어갔어야 할 태원이 앉아있다.

".....넌 동료를 봐도 인사도 안 하냐?"

태원이 앉아서 눈을 감은 채로 말했다.

그 모습도 끝내주게 잘생겼다.

비록 어린애지만.

".....네가 언제부터 내 동료였냐? 내 원수였지."

다련이 말했다.

"솔직히 말해. 너 나 좋아하지?"

태원이 말했다.

".....지랄 하지 마셔. 난 따로 앉는다."

다련이 말했다.

".....맘대로 해라. 난 잘거니까."

태원이 말했다.

"잘 자라."

다련이 말하며 태원과 먼 자리에 떨어져 앉았다.

그리고는 다련도... 잠에 들어버렸다.

"야. 야! 일어나, 병신아!"

다련이 사는 집 근처로 온 버스.

그리고 태원은 다련을 깨웠다.

".....어.... 벌써 여기까지 왔나."

다련이 말했다.

"침이나 닦아. 병신아."

태원이 말했다.

"엇... 침..!!"

다련이 자면서 흘린 침을 서둘러 닦았다.

"데려다 줄테니깐 빨리 내려."

태원이 말했다.

걸어서 조촐한 아파트로 가는 길.

짧은 길이지만 태원의 키는 다련보다 한참 컸다.

"......야. 너 키는 언제 클래?"

태원이 말했다.

".....키 너보다 더 클거거든요."

다련이 말했다.

"어쭈구리. 나한테 대든다?"

태원이 말했다.

"벌써 다 왔다. 이제 들어가 봐."

다련이 말했다.

".....나도 어린 애야. 뭐타고 가라고?"

태원이 말했다.

"....그건 네가 알아서 해야지."

다련이 말했다.

"피식. 난 부잣집 아들이니까 이해해줘야지."

태원이 말했다.

"...뭐... 너 부잣집 아들이었어??"

다련이 말했다.

"....응. 그나저나 너... 이런 닭장에서 어떻게 사냐?"

태원이 다련의 닭장같은 아파트를 보고선 말했다.

".....그래도 살만 해. 나도 언젠간 너처럼 돈 많이 벌 거야."

다련이 말했다.

"....바보야. 난 돈 많이 번게 아니라 집안이 부자인거
야.

어쨌든 난 간다."

태원이 말했다.

"이게 누구보고 바보라고...!!! 네가 더 바보다.... 이 자
식아..!!!"

다련이 말했다.

태원은 대리기사를 불러서 가버렸고,

다련은 얼른 아파트 안으로 들어갔다.

*

다련의 집 안.

다들 자고 있다.

아버지와, 어머니 모두.

"아빠, 엄마. 제가 가수로 성공하면... 꼭 호강시켜 드
릴게요.

조금만 기다리세요."

다련이 혼잣말 하며 웃었다.

*

다음 날 아침.

이새유와 민하린과 수다나 떨고 있는데 윤태원이 다가
왔다.

"야. 새우랑 하하. 너네 둘 다 꺼져."

태원이 말했다.

"뭐.. 뭐? 새우?"

새유가 당황하며 말했다.

"하하라니... 웃는 소리 내는 거니..?"

하린이 말했다.

"....얘들아!! 미안해!! 얘가 원래 좀 많이 미친 애라!! 어휴!! 너 나 따라 와!!"

다련이 말했다.

*

운동장.

"....야!!! 윤태원 너!!! 도대체 왜 그러는 거야!!! 내가 일 년 동안이나 참아줬잖아!!"

다련이 말했다.

"아..... 씹. 고막 터지겠네. 조용히 말해라."

태원이 말했다.

"날 도대체 왜 이렇게 괴롭히는 건데?? 너 친구들 많잖아!! 네 친구들이랑 놀아!!"

다련이 말했다.

"....씹.... 조용히 말하라 했다."

태원이 말했다.

그러자 맞을 것 같은 예감이 들었고, 다련이 몸을 사리기 시작했다.

슬금슬금......

다련이 슬금슬금 태원에게서 멀어졌다.

"....갑자기 왜 그렇게 걷냐? 다리 병신 됐냐?"

태원이 말했다.

"아, 아니거든!!! 요....... 그냥 네가 무서워서!!!!! 그런 거거든요.........."

다련이 말했다.

그러자 태원이 피식 웃었다.

".....나 열 한 살 밖에 안 먹었어. 힘 약해."

태원이 말했다.

"...여, 역시 그렇지?!?!? 음하하!!!! 내가 너보다 힘이 더 센...."

"하지만 장다련 너보단 힘이 더 세겠지?"

태원이 다련의 말을 싹둑 잘라먹고선 말했다.

"우리 아직 열 한 살 밖에 안 됐거든!!! 선 좀 긋자!!! 응???"

다련이 말했다.

"......또 무슨 망상을 하는 거냐? 나 아직 너한테 아무 것도 안했어."

태원이 말했다.

"......그.... 그래????"

다련이 말했다.

".....그래. 아..... 씹. 종칠 시간이다. 가자."

태원이 말했다.

뭔가 시원섭섭해졌다.

"야...!!! 윤태원. 너한테 난 대체 뭐냐.?????"

다련이 말했다.

그 말에 뛰어가려던 태원이 멈춰섰다.

".....그냥 내 병신같은 친구. 그 이상도 이하도 아니야."

태원이 말했다.

그 말에 다련의 마음이 또

쿵-

하고 내려앉았다.

저... 저.......

싹바가지 더럽게 없는 놈.......

"미안하다!!! 정상인 친구가 아니라, 병신같은 친구라서!!"

다련이 말했다.

".....그래서 더 소중한 친구. 그래서 더 소중한 사람."

태원의 뒷 말은 미처 듣지 못한 장다련이었다.

*

회사 연습실 안.

"야. 윤태원.

장다련..... 내가 찝쩍대도 되냐?"

진 선의 말에 태원이 분주하게 스마트폰을 만지던 손을 멈췄다.

".......미쳤냐? 그런 못생긴 애한테 찝쩍대게?"

태원이 말했다.

"...야. 못생겼다니? 대형 소속사 연습생 할 정도면 외모는 보장된 건데~

솔직히 장다련 엄청 예쁘잖아~ 성격이 좀 찐따같아서 그렇지...."

김정민이 말했다.

".......맘대로 해라. 걔한테 찝쩍대든 말든."

태원이 말했다.

"진짜지? 너 진짜 그 말에 후회 안 할 자신 있어?"

선이 말했다.

"........어. 후회.......... 안 해."

태원이 말했다.

*

"자~ 이번에는 학교 축제 준비를 할 건데요. 여러분~ 학교 운동회가 끝나고

학교 연극 준비를 할 거예요~ 왕자 역할은 태원이로 하고!!! 공주 역할은...."

선생님이 말했다.

".....공주 역할... 장다련으로 하죠. 선생님."

윤태원이 말했다.

"....정말 그래도 되겠니? 다련아?"

선생님이 물었다.

"...네? 아...."

다련이 말했다.

"....장다련 연기도 배우려면 여러모로 여주인공 역할 맡는 게 좋을거예요."

태원이 말했다.

*

난 연습생 생활과 함께 열심히 연극 준비도 했고...

드디어 학교 연극 날이다!!

두근두근....

학교 생활을 열심히 해보는 건 오랜만이라 너무 너무 떨린다!!!!

<잠자는 숲 속의 공주> 연극이다...

어느 순간부터 무대 위 유리침대에 누워만 있는데 너무 편하다.

아... 그런데..... 윤태원하고 키스하는 듯한 장면이 있는데....

설마 윤태원이 진짜 키스하진 않겠지??

태원이 유리침대에 누워있는 다련에게 다가갔다.

다련은 점점 다가오는 태원의 숨결을 느꼈다.

분명 윤태원은 평소처럼..... '병신' 이 한 마디로 끝낼 거야.... 암......

내가 장담해.....

태원이 눈을 감고 있는 다련의 입술 옆에 입맞춤을 했다.

쪽-.

쪽 소리 하나에 다련의 세상이 무너졌다.

으아악!!! 내 순결!!!!

*

"윤태원. 너 아까 왜 나한테 키스했어? 가짜로 하는 척 하면 됐잖아."

다련이 말했다.

"...너 나중에 연기라도 하게 되면 키스신 있으면 찍어 야 되잖아.

그래서 입술에 하려다가 너무 어리고 또 역겨워서 입 술 옆에 해줬다. 왜? 불만이냐?"

윤태원이 말했다.

".....제길.... 그럴 줄 알았다..... 너 때문에 내 순결 잃 었잖아!! 책임져!!!"

다련이 말했다.

"책임 못 지겠는데?"

태원이 말했다.

"그럼 말아라~"

다련이 말했다.

둘은 연극 뒤 세트장에 있다가 연극을 무사히 끝마치 고 연습실로 향했다.

*

회사 연습실.

"솔직히 말해. 너 사실 장다련 좋아하잖아!!"

진 선이 소리쳤다.

남자 연습실을 우연히 지나가던 다련이 놀라며 그 소리를 지켜봤다.

".....아니거든."

태원이 말했다.

"너 정말 이럴거야?"

선이 말했다.

"....나도 내 마음을 모르겠어. 모르겠다고!!!! 씨발!!!! 됐냐???"

태원이 소리쳤다.

그 소리에 깜짝 놀란 다련은 뒷걸음질 쳤다.

"....장다련 내가 꼬실거야. 데뷔 못해도 상관 없어."

선이 말했다.

"......미친 놈. 미쳐도 단단히 미친 놈. 여자에 미친 거냐, 장다련에 미친 거냐?"

태원이 말했다.

"......둘 다 미쳤다. 그러면 안 돼냐? 새끼야!!!"

선이 말했다.

*

밖으로 나왔다.

뭔가 들어서는 안 될 내용을 들은 기분이야.....

진 선이 답답한 마음을 해소하러 나왔는데 다련을 발

견한다.

"장다련!!!!! 다련이 맞지???"

선이 말했다.

"....어...... 안녕."

"내 이름은 진 선이라고 해!!!"

"아... 그래....."

"우리 달~콤하게 지내보자. 응?"

선이 웃으며 말했다.

만약에 윤태원이었다면... 저렇게 웃으며 저런 멘트는 안쳤겠지...?

아니.... 이 와중에 왜 또 윤태원 생각을....

...장다련.... 너 아직 열 한 살 밖에 안 먹었어..!!!!

"아.... 그.... 그래."

다련이 말했다.

".....지금 여기서 뭐하는 거냐. 장다련."

평소에는 들을 수 없었던 아주 낮게 깔린 목소리.

기분이 몹시도 나쁘다는 듯한 그런 음성.

그리고 기분 나쁘다는 듯이 일그러진 표정.

.......그런 모습을 하고 서있는 윤태원.

"....아... 그게....."

다련이 말했다.

".....오늘부터 다련이랑 썸타려구~ 태원아."

선이 말했다.

"....씨발.... 그거 누가 정한건데."

태원이 말했다.

".....써, 썸이라니..... 그런 거 아닌..."

다련이 말했다.

"....썸타는 거 맞아!!! 그러니까 윤태원은 오늘 부로 들어올 자리가 없단 말씀!!

알겠어??"

선이 말했다.

그것도 잘생긴 얼굴을 능글맞게 웃으며.

"그 입 닥쳐. 장다련 말 끊지 마."

태원이 말했다.

"....싫은데~? 우린 썸타는 사이니까. 그렇지~? 다련아~?"

선이 말했다.

"아하하....."

다련이 멋쩍게 웃으며 고개를 푹 숙였다.

"........씨발.........."

태원이 욕을 읊조리며 다련을 쳐다봤다.

"......고개 들어. 장다련."

태원이 말했다.

"....응? 왜?....."

다련이 말하며 고개를 들었다.

"....내 앞에서 고개 숙이지 마. 내 앞에서 저 새끼 앞

- 45 -

에 있지도 마.

기분이 아주 더러우니깐."

태원이 말했다.

*

어느 덧 15살이 되어버렸고 우리는 데뷔조 그대로 데
뷔하게 되었다.

대형 소속사 아이돌이라는 타이틀과 함께 화려하게 데
뷔하였고,

김정민,진 선,윤태원,한동주가 있는 팀의 이름은 <블
랙>이었고,

이혜정,김민주,유지예,장다련이 있는 팀의 이름은 <화
이트>로 데뷔하였다.

그런데.....

블랙팀의 인기는 나날이 상승해나가는데,

화이트팀의 인기는 처음부터 추락해있었다.

사람들은 블랙은 알아도 화이트는 몰랐다.

한 마디로 대형 기획사 망돌이 되어버린 것이다.

망돌을 벗어나려고 노력도 많이 해보았으나, 헛수고였
고,

결국에는 스폰을 받아야되는 지경까지 이르렀다.

"인생 참 불공평하다. 그치?"

호텔 안.

여유로운 표정으로 베란다에 담배를 꼬나물고 서있

는........

.....아주 잘생긴 녀석 하나.

많이 본 그 녀석은, 윤태원이다.

내 스폰서가 되어버렸다.

"나이가 열 다섯 밖에 안 됐는데 담배라니. 얼른 꺼."

다련이 말했다.

"...싫은데?"

태원이 말했다.

".....선은? 선이는 안 왔어?"

다련의 말에 태원의 인상이 팍 구겨졌다.

"그 새끼는 왜 찾아?"

태원이 말했다.

"......아니.... 그냥......"

다련이 말했다.

".......스폰 관계는 나 하나로만 끝낼 것을 약속합니다. 여기에 서명해."

태원이 말했다.

"....아, 알았어."

다련이 말했다.

"...그리고. 연애도 절대 금지야. 들키면...... 계약 파기야."

태원이 말했다.

"....알겠어!!!"

다련이 말했다.

그로써 계약서에 지장을 다 찍고.......

"좋았어. 오늘부터 장다련은 내가 접수한다."

태원이 담배를 지져끄고선 말했다.

3.

두근 두근.

옆에서 잠을 자고 있는 윤태원 덕분에 잠이 오질 않는
다.

호텔 안.

같은 침대 위에 누운 윤태원과 나.

제기랄.

내가 속한 그룹이 망하지만 않았어도...

이런 일은 없는 거였는데.

하지만 신의 계시를 받은 나 장다련! 오늘도 열심히
사는 거야!

적어도 윤태원은 성상납은 요구를 하지 않잖아!

그래, 그래!

다련은 잠을 자려고 했으나 그만.....

옆에 외간 남자(?) 윤태원이 있다는 사실에 가슴이 떨
려 날밤을 지새고 말았다.

흐아아악..... 날밤 깠어......

아침.

부스스한 머리로 일어나는 윤태원.

그 모습 조차도 귀엽다.

".....뭐야. 너 설마 날밤 깠냐?"

태원이 말했다.

"....아.... 아니!! 날밤을 까긴 뭘 까!!! 내가 밤이야??"

다련이 말했다.

"눈이 이상한 거 보니까 날밤 깐 거 맞네. 내가 옆에 있으니까 그렇게 불편했냐?"

태원이 말했다.

"....아니거든!!!!"

다련이 말했다.

"...나 씻어야 되니까 여기서 조금만 기다려. 튀면 죽는 다."

태원이 말했다.

"...말 끝마다 죽는다, 죽는다는 무슨... 협박 그만 좀 하지?"

다련이 말했다.

"......미안해."

태원이 말했다.

태원이 순순히 미안하다고 사과하자 다련이 당황했다.

"...어... 어?"

"너한테 그런 말 하면 안 되는 건데. 미안하다고."

태원이 말했다.

"그리고 너도 좀 씻어라. 냄새나."

태원이 말했다.

그리고는 샤워실로 들어가버리는 윤태원.

"이씨..... 냄새 나나? 나한테?"

다련이 혼잣말했다.

자신의 몸을 킁킁 대며 맡아 보면서.

*

쏴아아아-.

시원한 물줄기가 태원의 몸을 타고 흘러내렸다.

아직도 태원은 자신의 마음이 무엇인지 알 수가 없었다.

처음엔 그냥 관심이었다.

관심이었는데.... 점점 더 장다련에게 관심이 갔다.

관심만 더럽게 커진 상태다.

자신의 마음을 자신이 모르겠는데, 진 선이라는 새끼는 윤태원이 장다련을 좋아한댄다.

무슨 헛소리 하는 지 모르겠다.

언제쯤 알 수 있을까. 윤태원이 장다련을 향한 마음이 무엇인지.....

*

조금이라도 자보자.

그래. 장다련. 할 수 있어.

침대에 누워보지만 윤태원이 샤워하는 물줄기 소리가

거슬려서 잠이 오질 않는다.

아아악~! 내가 미쳤어!!

신경 쓰지 말자. 신경 쓰지 말고 자자!!

이불을 뒤집어 쓰고선 다련이 양을 세고 있다.

"양 한 마리.... 양 두 마리..... 양 세마리......"

"야. 거기서 뭐하고 있냐?"

태원이 옷을 다 갈아입고 나와서 젖은 머리를 타올로 말리며 말했다.

"잠 올 때까지 양 세고 있다. 왜?"

"해가 중천에 떴는데 무슨 잠이야. 일어나. 오늘 저녁에 자."

"싫어. 나 오늘 일 없단 말이야..."

다련이 말했다.

"....맞다. 너 절반은 백수였지."

태원이 말했다.

".....대형 기획사라고 해도 망돌이라 스케쥴이 거의 안 잡히니까.... 맞는 말이지?"

다련이 말했다.

"....불쌍하게. 그것 참."

태원이 말했다.

"...불쌍하단 말 금지야!!"

다련이 말했다.

"...너 팬클럽은 있어?"

태원이 말했다.

"..아.... 아니.... 없어...."

다련이 말했다.

"팬클럽도 없어?!"

태원이 말했다.

"아니 그럼 없는 걸 어떡하냐.... 아무도 우리 존재를 몰라...."

다련이 말했다.

뚜르르-.

전화 왔다.

다련의 폰이다.

이혜정이다.

"응. 왜?"-다련

"야!!! 이 년아.... 기숙사에 안 쳐 기어들어오고 뭐하는 짓꺼리야!!"-혜정

"혜.... 혜정아.... 야 이 년아는 좀.... 그렇지 않니..... 어감이...."-다련

"....내가 지금 욕이 안 나오게 생겼어?! 안 그래도 우리 망했는데,

너 잘못된 길로 들어설까봐 걱정 되서 잠을 설칠라 하는데 어젯 밤에 어디서 잤냐??"-혜정

"나.... 그게..... 치... 친구!!! 친구네 집에서 잤어!!"-다련

"거짓말 하지 마 이 년아..... 너 친구 우리 밖에 없는 거 다 알아!!!"-혜정

"아니야!!! 이.... 있어!!!! 미.... 민지도 있구..... 하린이 도 있구..... 새유도 있구....(다 연락이 끊긴 친구들이다.)"-다련

"거짓말 하지 마. 그 년들이 너랑 연락을 끊고 잘 먹고 잘 살고 있지 누가 너랑 연락이나 하고 자빠지고 있겠냐??"-혜정

뜨끔.

혜정의 말에 다련이 속으로 뜨끔했다.

"아... 아니라니까!! 진짜야!!"-다련

"너 진짜 거짓말 계속 칠래?? 너 지금 어디야!!! 당장 불어!!!"-혜정

"싫어!! 나 지금....."-다련

"너 지금 혹시..... 남자랑 같이 있냐??"-혜정

"아, 아니거든!!! 여, 여자랑 같이 있어!!!!"-다련

"....."

거짓말을 치고 앉아있는 다련을 태원이 말없이 쳐다본다.

"어떤 여잔데!!! 씨발!!! 그 년 목소리 좀 들어보자!!!"-혜정

혜정의 엄청나게 큰 목소리에 전화기 너머 혜정의 말을 들은 태원이 다련의

핸드폰을 뺏어들고 통화를 한다.

"나야. 그 여자."-태원

"뭐야?? 남자 목소린데??"-혜정

"....피식. 끊는다."-태원

"어?? 야... 야...!!!!"-혜정

뚝-.

태원이 전화를 끊어버렸다.

"이제 됐냐?"

태원이 말하며 침대 위로 다련의 핸드폰을 가볍게 던진다.

".....너 친구들 되게 집착 심하다?"

태원이 말했다.

"...아... 그게 요새 하는 일이 망했다보니까.... 애들 신경이 날카로워져서 그래..."

다련이 말했다.

".....후..... 인생이 원래 그런 거 아니겠냐. 난 이만 가본다."

태원이 말했다.

그리고는 진짜 가버렸다.

호텔에 혼자 남겨진 다련은 멍때리다가 노트북을 켰다.

그룹 <화이트>의 팬클럽에는 사람들이 별로 없다.

"나도 가입해볼까..... 요즘 유행한다는 넷나베로...."

넷나베:인터넷 상에서 남자인 척 하는 여자.

닉네임.... 화이트폭스.....

...사람이 없어서 그런가 됐다.

팬클럽에서는 대화창이 딱 한 개가 있었다.

무작정 들어갔다.

[엇!! 새로 들어오셨네!! 화이트 팬이세요??? -지예빠]

[우리 네 명 딱 맞게 됐네!!! 정모 한 번 할까?? 화이
트폭스님 혹시 성별이?? -헤헤]

[아... 저 남자예요. -화이트폭스]

[남자인거 같음. 무뚝뚝한게. -잘다려]

뭐야...??? 저 잘다려라는 닉네임 가진 놈...???

나보고 남자같다고?? 무뚝뚝하다고???

지는...!!!

[잘다려님은 성별이 뭐세요? -화이트폭스]

[나? 당연 남자. -잘다려]

[아... 혹시 누구 팬? -화이트폭스]

[닉네임 보면 모르냐? 장다련 팬이잖아. -잘다려]

부들부들.....

내 소중한 이름인 장다련을 잘다려라고 바꿔 짓다니....

매너가 똥이어도 너무 똥이야!!!

다련이 속으로 부들부들 떨며 생각했다.

[화이트폭스님은 김민주팬이세요? -지예빠]

[아.... 네..... 그렇죠!! -화이트폭스]

[어디 사세요?? 서울에서 정모 한 번 해요!! -혜혜]

[지예빠님이랑 혜혜님은 성별이? -화이트폭스]

[아, 저희는 잘다려님 빼고는 다 여자예요!! -지예빠]

아....

나 포함 네 명밖에 없는 이 대화방 안에서.... 여자팬이 두 명씩이나....

복 받은 거네 그래도.... 나는....

[갈게요. 서울 정모. -화이트폭스]

나는 팬클럽에 서울 정모를 가기로 했다.

*

자.... 자.......

남장을 한껏 해주고.......

누가봐도 남자같다.

누가 봐도 망돌 장다련 같지 않다.

"화이팅!!"

목소리도 남자답게 바꼈다.

오늘만큼은 난 남자여야 하니까!

*

서울 정모 장소. 넓고 한적한 카페 안.

띠링-.

다련이 일행을 못찾고 두리번두리번 거리자 앉아있던 세 명의 사람들이

다련을 보고 물었다.

"혹시 화이트폭스님...?"

여자가 말했다.

"아, 네..!! 맞아요..!!"

다련이 말했다.

"아, 반가워요!! 저는 지예빠예요!!!"

화이트폭스냐고 물었던 여자가 말했다.

어디 보자.....

내 남팬은........?

보나마나 뭐... 못생기고 냄새나고 이상한 남자겠지 뭐......

남팬이 뒤를 돌아본 순간.....

그 특유의 잘생김에 나는 넋을 잃고 말았다.

"헤헤. 저희 잘다려님이 좀 잘생겼죠?"

혜혜가 말했다.

"너........."

*

잘다려가 말했다.

"......묘하게 닮았다. 장다련이랑......."

잘다려가 말했다.

"....아...!! 오해예요!! 오해!!"

다련이 말했다.

"우리 다 실명 깔까요?? 친해지자는 의미에서!!!!

우선 저는 닉네임 지예빠구요!! 유지예를 사랑하는 17

살 이소정입니다!!!"

소정이 말했다.

"저는 닉네임 혜혜구요. 이혜정을 좋아하는 16살 박서진입니다."

".......닉네임 잘다려. 이름은 추도빈. 나이는 17살이다."

"아.... 저... 저는....."

다련이 식은땀을 뻘뻘 흘렸다.

거짓말을 쳐야해....

".....기, 김원빈이라고 해요. 제 이름. 나이는.... 여... 열 여섯이구."

다련이 말했다.

"원빈님. 우리 친하게 지내요!!"

소정이 원빈에게 손을 내밀었다.

다련이 식은땀을 뻘뻘 흘리며 손을 잡았다.

그 모습을 물끄러미 바라보는 한 사람.

추도빈.

".......이상한데. 진짜로 장다련이랑 닮았단 말이야...."

도빈이 말했다.

"닮았으니까 우리 화이트 팬 하지~ 그렇죠~? 원빈 씨~?"

박서진이 말했다.

"하하.... 네....."

다련이 어물쩡 웃으며 말했다.

*

정모는 끝났다.

단체채팅방에서 또 화이트 얘기 중인 팬클럽 회원들.

대화하는 회원들은 단 세 명 뿐이지만.

연예인 벤 안에서 화이트 멤버들이 잠을 자고 있다.

유일하게 잠에서 깨고 있는 사람. 장다련.

[오늘 정모 너무 재밌었어요!!! 다음에 또 해요!!! -이소정]

[다음 정모 빨리 정하자!! 언제 할까?? -박서진]

[뭘 빨리 정하냐..... 귀찮게..... -추도빈]

"풋.... 이것들.... 귀엽네...."

다련이 혼잣말했다.

"응? 뭐가 귀여워? 다련아?"

운전하고 있던 매니저 오빠가 말했다.

"아, 아무 것도 아니야!!!"

다련이 황급히 핸드폰을 끄며 말했다.

"...휴.... 다련아. 이런 말 하긴 미안하지만 너네 진짜 망돌이더라....

어떻게 된 게 악플 하나도 없고 다 무플이야..... 진짜 힘내라....

너네 그래도 대형 기획사 아이돌이잖아.... 행사만 돌면 어떡해...."

매니저 오빠가 말했다.

"...아...."

"....우리 지금 행사장 가고 있는 거야. 농업축제인데,
작은 행사지만 즐겁게

놀다 와."

매니저 오빠가 말했다.

"아, 응!!!!"

다련이 말했다.

[다음 정모 때 오실거죠?? 원빈님!!! -박서진]

[아... 가야죠^^ 당연히.... -김원빈]

[그래요.... 조심히 와요!!! -이소정]

*

정산금은 밥 한끼 먹기도 힘들었고.

우리는 해체할 위기에 놓였다.

마지막....

마지막이야....

마지막 정모라고 생각하고 가는 거야.......

*

"오늘 기분이 안좋아보여."

도빈이 다련에게 말했다.

"...아.... 그냥 좀 그러네요. 하하. 너무 신경쓰지 말아
요."

다련이 말했다.

얼마 안 가 <화이트>는 해체한다는 소식을....

전할 수 없어서 그런거겠지.

"나랑 게이 커플 할래요?"

도빈이 다련에게 말했다.

".....네??"

다련이 말했다.

소정과 서진이 화장실에 간 사이에 말이다.

"....내가 그 쪽이 아주 마음에 들었거든요."

도빈이 말했다.

"게... 게이 커플은... 좀...."

다련이 말했다.

*

얼마 안 가 <화이트>는 해체해버렸고.

장다련의 신의 계시도, 꿈도 산산조각 나 버렸다.

더불어 멤버들도 각자 먹고 살 길 찾아... 학업 찾아 떠나버렸고.

얼마 없던 팬클럽 회원들도 없어져버렸다.

유일하게 연락하는 팬클럽 멤버. 추도빈.

"....얘는 질리지도 않나? 나랑 계속 연락하네."

다련이 혼잣말했다.

다련은 민지가 데뷔한 중형소속사로 들어가 솔로데뷔를 준비 중이다.

"이번엔 꼭 성공해야지? 장다련."

싸가지 없게 담배를 꼬나물며 중형소속사 안에서 빽빽
피워대는 윤태원.

태원이 말했다.

".....성공하든 말든, 남이사. 여긴 왜 온건데?"

다련이 말했다.

"...요새 너한테 찝쩍대는 새끼 생겼더라?
이름이.... 추도빈이라 했던가? 네 팬이던데."

태원이 말했다.

"...그래. 걔 그냥 내 팬이야. 근데 그게 뭐?"

다련이 말했다.

".....너 나 좋아하냐?"

태원이 말했다.

".....아니? 안 좋아하는데. 미친 놈아. 뻑큐나 먹어라."

다련이 가운데 손가락을 살포시 날려주며 말했다.

".......난 너 좋아하는데."

태원이 말했다.

".......뭐?"

예상치 못한 태원의 대답에 다련이 당황해버렸다.

".....다시 한 번 말해줘? 난 너 좋아한다고. 피식."

태원이 말했다.

조금은 씁쓸한 듯 웃으며.

".....정신차려. 윤태원. 너 지금 톱스타야. 그것도 톱아
이돌이라구.

..........나랑은 사는 세계가 틀려. 윤태원."

다련이 말했다.

"....내가 사는 세계가 도대체 뭔데? 내가 사는 세계가 도대체 뭔데,

날 이렇게 괴롭게 만드는 건데?"

태원이 말했다.

"....윤태원......"

다련이 말했다.

"....씨발...... 이젠 네 멋대로 해라. 어차피 내 심장 가진 거,

다 너니까."

태원이 담배를 담배통에 지져 끄더니, 같이 얘기하던 곳에서 벗어나버린다.

쾅-.

......뭐야.

도대체 무슨 일이 있었던 거야.

방금 전에 그 말은 대체 뭐였지?

*

김정민도, 진 선도, 한동주도, 톱스타가 된 후부터는 친해질 수가 없었다.

...그 사람들과 나의 인연이 여기까지였던 거겠지.

다련이 생각했다.

다련은 더 이상 선에게 미련을 갖지 않게 되었다.

*

다련은 남장을 하고선 추도빈을 만나러 갔다.

".....도빈아!!"

"원빈아!!"

갑자기 도빈이 다련을 껴안았다.

"켁켁.... 저리 치워! 이 놈아!"

다련이 도빈을 멀리 밀었다.

".....킥킥. 그렇게도 내 품이 싫어?"

시원한 쿨워터 향기.....

도빈의 품 안에서는 그런 향기가 났다.

그런데..... 도빈이랑 놀고있는 와중에도.....

자꾸만.....

그 애가 했던 말이 떠올라.......

기분이.....

아주 다운되어버려........

'....씨발...... 이젠 네 멋대로 해라. 어차피 내 심장 가
진 거,

다 너니까.'

그 말이......

머릿 속에서 잊혀지지가 않아.

..바보같게도.

*

중형소속사 안.

연습실이 불이 안 켜진다.

"어? 갑자기 왜 이러지?"

여자 모습으로 돌아온 다련이 당황했다.

문도 안열린다.

"흐흐흐..... 열 다섯살 어린 년이라도 실컷 따먹어볼
까?"

이상한 괴물같은 목소리의 남자.

그것도..... 여러 명.

"꺄아악!!!"

다련이 소리를 질렀지만, 남자 한 명이 다련의 입을
틀어막았고, 그대로 다련은

이상한 약에 취해 기절하려던 찰나....

"씨발............. 문 열어!!!!!!!!!!"

문을 콰앙-!!!!!!! 하고 발로 강하게 차는 소리가 남과
동시에.......

문짝이 부서지려고 했다.

"으아악!!!! 문이 왜 이래!!!"

괴물같은 남자 여러 명들이 문짝이 흔들리자 도망갔
고,

난 흔들리는 문짝 아래에 꼭 붙어서 앉아있었다.

바보같은 장다련.

다련이 남자들이 다 간 걸 확인한 후에야 찌그러져버
린 문짝을 열어줬다.

"야, 이 병신아-!!!!!!!!!! 잘못되면 어쩔 뻔 했어-!!!!!!!!!!
걱정 했잖아-!!!!!!!"

윤태원이 소리쳤다.

"내 고막 찢어지겠네..... 살살 말해.... 다 알아듣겠으니
까...."

다련이 말했다.

".....지금 그런 말 할 때야?"

다련이 말하자 태원이 금새 수그러들었다.

"윤태원. 너 지금 연애할 때 아니야. 연애할 때 아니
고...."

다련이 말했다.

"누가 너랑 연애한대? 왜 김칫국부터 마셔?"

태원이 말했다.

"아 씹...... 그럼 대체 뭔데!!!!!!! 좋아한다고 하질 않
나,

뭐...... 나보고 대체 뭘 어쩌라고!!!!!"

다련이 말했다.

"....기차 홧통을 삶아먹었나........ 목소리가 왜이렇게
크냐......?"

태원이 말했다.

".....국어 사전에 그런 말 없거든? 기차 홧통이란
말....."

다련이 말했다.

"그래!!!!! 좋아한다!!! 좋아하는데!!!! 너랑 사귀진 않을 거야!!!!

왜냐??? 난 네가 불쌍하니까!!!!!!"

태원이 말했다.

그건 또 무슨......

무슨 말인데...... 윤태원......

"....뭐..... 뭐???"

"사랑은 하는데!!!!!! 넌 나 사랑 안 하잖아!!!!! 장다련!!!!!"

태원이 말했다.

"........"

태원의 말에 말문이 막혀버렸다.

소리를 빼액 빼액 지른다는 말도.......

하기 싫어졌다.

"난 네가 좋은데...... 안고 싶은데.... 사랑하는데.....!!! 넌 나 사랑 안 하잖아.... 그래서 난 네가 불쌍해..... 안쓰럽다고......"

태원이 말했다.

".........윤태원.......... 나는........."

다련이 말했다.

".....됐어..... 안 들을래....."

태원이 말했다.

".....아직..... 누군가를 사랑할 준비도 안 됐고......"

"안 들려..... 안 들린다..... 안 들린다......."

"그리고........ 나랑 다른 세계에 사는 사람을 사랑할
자신은 더더욱 없어....."

"안 들린다..... 안 들린다......"

"그래도..... 나 노력할게....!!!! 너처럼 너랑 같은 세계
에서 빛날 수 있게!!!!

그렇게는 해볼게!!!!! 그러니까..... 지금처럼 나 마음껏
좋아해주라......

사랑해주라...!!!! 불쌍해해주라...!!!! 안쓰러워해줘!!!!
그랬으면 좋겠어.....

왜냐하면...... 내 인생에 지금까지 그런 사람이 없었으
니깐........"

".............."

내 마지막 말에 윤태원이 아무 말도 하지 않았다.

"......아..... 알았지??? 그럼 나 가본다......"

다련이 말했다.

"........병신아. 어딜 가. 네 마지막 말 다 들었는데."

"드.... 들었어????"

"......그래......." `

"그... 그럼 잊어!!!! 나 말고 새로운 사람....."

".....네가 허락한 거다."

".............어???"

"너 마음껏 좋아하는 거. 허락한거라고. 병신아-."

태원이 난생 처음으로......

화알짝-.......

웃으며....... 말했다.

*

4.

어쩌지........

어쩌지, 어쩌지.......

나는 윤태원의 번호를 차단해놓은 상태다.

'너 마음껏 좋아하는 거. 허락한거라고. 병신아-.'

라는 윤태원의 말이 생각이 나서.

자취방에서 그 말을 한참이나 곱씹고 있는데.

어찌된 게 이 놈의 핸드폰은 더럽게도....

...조용하다.

"...윤태원 번호 괜히 차단해놨나."

다련이 혼잣말했다.

"잊자, 잊어. 스폰이 뭐 돈만 후원해주면 되는 거지. 별거야??"

다련이 혼잣말했다.

"아니야... 스폰서 받으려면 윤태원을 차단하면 안 되긴 한데.....

어차피 맨날 회사에서 만나잖아?? 맨날 지겹게도 날 찾아오는 윤태원 덕분에....."

다련이 혼잣말했다.

다련 혼자 사는 자취방은 무섭기만 하다.

물론, 태원이 좋은 방을 구해주긴 했지만.

".....자자...... 오늘은 자는 거야......."

다련이 혼잣말하며 잠에 들었다.

*

다음 날.

중형기획사 안.

"꺄아악!! 기지배야!!! 오랜만이다!! 잘 지냈어??"

민지가 다련과 하이파이브를 하며....

오두방정을 떨어댔다...

"....야.... 너 연락 끊은 년 아니었어?? 왜 갑자기 오두
방정이야...."

다련이 말했다.

"그거야, 바쁘고...."

"됐다. 됐어. 이 배신자."

"으허엉... 삐졌냐??? 잔다르크??"

뜨끔.

잔다르크라고 부르는 김민지의 말에 또 장다련의 마음
이 뜨끔했다.

신의 계시를 받은 내가......

신의 계시를 받았단 게 들켜지면...

미친 년 취급 받을 게 뻔해....

아니야...

민지한테는 한 번 얘기 해볼까...??

"미... 민지야.... 나 사실.... 가수를 꿈꾸게 된 계기가....."

다련이 말했다.

"...꺄아악!!! 얘들아!!! 왔구나!!!!"

김민지 이 썩을 년.

민지가 다련의 말을 싹둑 잘라먹고선 댄스 연습실 안으로 들어오는 여자연습생들과

하이파이브를 하며 방방 뛰기 시작했다.

결국 다련은 그 곳에서 빠져나왔다.

"후....."

다련이 한숨을 내쉬는데, 아무도 없다.

나 진짜......

망돌을 건너왔구나....

"여기 있을 줄 알았다."

윤태원이 말했다.

"....뭐야. 왜 찾아왔냐??"

다련이 말했다.

"....너 혹시 나 차단했냐?"

태원이 말했다.

또 뜨끔.

전화를 안 했으면 알 수가 없을텐데......

"아, 아니!!! 그럴 리가!!!"

"차단 어플로 확인해보니까 나 차단했다고 뜨던데?"

태원이 말했다.

".....그... 그건... 이.. 이야... 너 그.. 그런 것도 쓸 줄 아냐??

머.. 멋진데!!!!"

다련이 말했다.

"....나 네 스폰서야. 나 차단하면 네 밥줄이 끊길텐데. 뭐 미친 짓이냐?"

태원이 말했다.

"....모... 몰라... 그딴 거...."

다련이 말했다.

'그딴 게 중요하냐!!! 어제 네가 나한테 했던 말들이 신경쓰여 죽겠는데!!!!'

다련이 생각했다.

"....후... 좋은 말로 할 때 차단 풀어라."

태원이 말했다.

"시... 싫어.... 때.. 때릴라구...??"

다련이 말했다.

"셋 준다. 하나."

"때... 때리면 경찰에 신고할 거야!!!!"

"둘."

"나..... 나도 돈 많다 이거야!!! 너 하나두 안 무섭다구!!!!"

"..........셋."

움찔!!!!!

다련이 맞을까 봐 움찔하며 몸을 움츠렸다.

그러나 아무런 주먹도 터치도 날라오지 않는다.

그제서야 다련이 눈을 떴다.

눈 앞에서 태원이 눈을 말똥말똥 뜨고 쳐다보고 있다.

"......너... 내가 그렇게 싫나??"

태원의 표정이 이내 상처받은 표정으로 바뀐다.

"....아... 아니... 그런 건 아닌데... 너랑 나 둘 다 열
다섯살 밖에 안 됐구...."

다련이 말했다.

"내가 싫어도 계약은 계속 유지해야 돼. 그게 네 의무
야."

태원이 말했다.

"....아.... 아는데!!! 그런데!!!! 그... 그게.......

....네... 네가 어제 한 말들이......."

다련이 말했다.

"....엇!!!! 윤태원이네!?!?!?! 야!!! 오랜만이다!!!!"

김민지가 말하며 달려왔다.

이..... 이.......

썩을 년.

"...."

다련이 아무 말도 안 했다.

"몇 년 만이냐??? 야, 너 유명해졌더라!!!! 축하해!!!!"

민지가 말했다.

".....야....... 너 나한테 말 걸지 말고 꺼져."

태원이 한 쪽 눈썹을 사납게 들어올리며 담배꽁초를 입에 물었다.

"역시 싸가지 없는 건 안 바뀐다니까!!!! 그렇지, 다련 아??!?!"

민지가 말했다.

"....으, 응....."

다련이 말했다.

"꺼지라니까. 김민지."

태원이 담배를 피운 후에야 민지가 말한다.

"쳇. 알았어. 간다. 가. 다련아, 연락해!!!!!"

민지가 서둘러 댄스 연습실로 떠나버린다.

어느 새 내 얼굴은 흑구름이 낀 것마냥 슬퍼져버려.....

...너무 너무 슬퍼져버려.....

"...고개 들어. 내 앞에서 고개 숙이지 말랬지."

태원이 말했다.

그럼....

어찌 해야 하는 건데.... 씨발 놈아.

다련이 말을 애써 삼키고.....

고개를... 들었다.

어? 왜 눈물이 흐르지?

내가.....

왜 이러지?

미쳤나?

"....야...... 너...... 우냐?"

태원이 당황하며 담배를 껐다.

"....응? 아... 아니.... 나..... 안 울어..!!!"

"씨발..... 너 울린 놈..... 누구야."

태원이 말했다.

너다..... 너다 이 씨발 놈아......

다련은 말을 하고 싶었지만 차마 하지 못하고 말한다.

".....아냐... 그냥.... 오늘 날씨가 안 좋아서....

오늘 비오잖아.... 그래서..... 날씨 때문에 기분이 안좋

아서 운거야.....

나 원래 이래..... 싱긋."

다련이 말했다.

"....그럼 날씨를 조져버려야겠네."

태원이 말했다.

그러더니 태원이 밖으로 나가버린다.

"....야.....!!! 뭘 어쩌려구....!!!!!"

다련이 말하며 뒤쫓아 따라갔다.

"야!!!!! 나....... 햇살이다!!!!! 씨발!!!!!!!!! 지금...... 해

떴다!!!!!!! 씨발!!!!!"

태원이 세차게 내리는 비를 맞으며......

두 손으로 간신히 비를 가리며......

본인이 태양이라고......

연신 소리쳐대고 있었다.

그 모습에.....

.....내 입꼬리가 씰룩대버려.....

......그만......

우하하!!!!! 하고 웃어버려.....

"푸하하하하!!!!!! 야!!!!! 너 꼴이 그게 뭐냐??!??!?? 미친 놈!!!!!!!"

다련이 말했다.

"웃냐???? 웃었냐?????"

태원이 말했다.

"....야!!!! 너 공인이야, 미친 놈아!!!!!! 얼른 이리 와!!!!!"

다련이 말했다.

"싫어!!!!!!!!! 비 안 올 때까지 이러고 있을 거야!!!!!!"

....저 놈의 광기는.....

말릴 수가 없다...

"이리 오라니깐!!!!!"

다련이 말했다.

"...차단 풀어!! 그럼 갈테니깐!!!!"

"자, 풀었다!!! 됐냐?? 이제 이리 와!!"

그제서야 태원이 다련에게로 왔다.

"한 번만 더 차단해봐라.... 그 땐 진짜로 비 하루종일 맞을테다...."

태원이 말했다.

".....그.... 그건.... 네가 이상한 말을 해서야....!!!! 네가 어제 이상한 말 했잖아!!!!"

다련이 말했다.

"....내가 널 좋아한다는 게 어째서 이상한 말인데?"

태원이 말했다.

"....그... 그건.....

나..... 난...... 아무도 안 좋아해...!!! 그래서 그래!!!!"

다련이 말했다.

"......그러시겠지. 연습하느라 바쁘니까."

태원이 말했다.

"응.... 아! 나 연습하러 연습실 가야겠다!"

"잠깐만...."

태원이 다련의 손목을 끌어당겨 가려던 다련을 품 속에 안았다.

포옥-....

축축해진 태원의 옷이 그대로 느껴져.

괜시리 미안해진다.

"......진짜 미안한데.... 너무 추워서...... 잠시만 이대로 있어주라."

태원이 말했다.

태원의 심장소리가 그대로 들렸다.

그제서야 다련이 태원을 밀어냈다.

"......"

다련이 아무 말도 하지 않았다.

"......"

그건 태원도 마찬가지였다.

"....나......... 가봐야겠다. 너랑 있으면.... 기분이 이상해져."

다련이 말하더니 가버렸다.

*

"....하아~~ 난 역시 실패하는 인생인걸까...."

노래 연습실 안.

다련이 혼자서 푸념을 늘어놓고 있다.

띠리리-

윤태원 전화인줄 알았더니, 김민지 전화다.

"왜!!"-다련

"기차 핫통을 삶아먹었나. 목소리가 왜이렇게 커!! 연습생이라 그런가."-민지

"그러니깐, 왜!!!!!"-다련

"...왜라니?? 오늘 나랑 쇼핑하고 놀러가자구!!! 어차피 너 친구도 나밖엔 없잖아!!!"-민지

"....그... 그럴까??"-다련

"그래!!! 가자!!!! 다있소(다이소..?)라도 가자!!!"-민지

*

그렇게해서 민지랑 같이 다있소 쇼핑을 오게 되었다.

와.....

서울 다있소라 그런지 역시 있을 건 다있네.

서울 토박이지만 적응이 안 된단 말이야.....

얼른 성공해서 우리 부모님 호강시켜줘야되는데.....

쿵.

윤태원이라도 열심히 뜯어내볼까......

아니야. 그러면 너무 미안해서....

"어?? 저기 네 팬 아니냐??"

민지가 소리치며 추도빈을 가리켰다.

"으아악!!!"

다련이 소리치며 얼굴을 가렸다.

"...왜 그러냐??"

민지가 말했다.

"민지야.... 진짜 진짜 내가 진짜 진짜 미안한데.........
한 번만 쟤 모른 척하고 지나가주면 안 될까?..... 내가
맛있는 거 사줄게."

다련이 말했다.

"....그래!!! 그러지, 뭐!!!!!"

민지가 말했다.

우린 서둘러 추도빈을 피해서 다있소를 나왔다.

그러나, 따라서 나오는 추도빈.

"어?!?!?!?!? 김원빈???"

네 눈깔에는......

어째서 내가 김원빈으로 보이는 것이냐........

내가 서둘러 얼굴을 가렸다.

"....아... 사람 잘못 보셨어요!!!!"

다련이 말했다.

"..맞네!! 김원빈!!! 혹시.... 장다련이 남장한 거 아
냐?????

머리 긴 거 보니까....."

도빈이 말했다.

"....아.... 아니라니까요!!!!"

다련이 소리쳤다.

"....."

도빈이 말없이 핸드폰을 두드려 김원빈의 번호로 통화
버튼을 눌렀다.

그러자, 다련의 폰이 울린다.

"....맞네. 찾았다. 장다련."

도빈이 말했다.

*

다련의 자취방 안.

어찌된 게 내 주변에는.....

정상이 하나도 없냐.........

내가 정상이 아니라는 증거겠지.

에휴.....

*

그로부터 일주일 후.

나는 곡을 받게 되었다.

드디어.......

솔로데뷔다!!!!

*

"그래서. 데뷔 소감이?"

민지가 말했다.

여긴 서울의 어느 한 카페 안.

민지와 나는 단둘이 있다.

".....추도빈이 이제부터 나 공식적으로만 따라다닌대.

사적으로 안 따라다닌대."

다련이 말했다.

"...잘 됐다. 기지배야."

민지가 말했다.

"....야. 넌 윤태원 안 좋아하냐?"

푸흡-!!!!!!!!

민지의 말에 다련이 먹고 있던 레몬 에이드를 다른 쪽
으로 분사해버렸다.

다행히 민지의 얼굴과 몸을 피해서...(?).....

"....아 씹..... 더러워."

"..미안하다...."

".....솔직히 말해 봐. 너도 윤태원 좋아하지? 보아하니까 윤태원이 너 좋아하는 눈치던데."

민지가 말했다.

"....내가 미쳤어??"

"또또. 강한 부정은 강한 긍정이라는 말이 있어!!"

민지가 말했다.

"....아니... 나는.... 팬들한테 유사연애라는 감정을 줘야하는 솔로 아이돌 가수가 될거잖니??"

다련이 말했다.

".........피식. 지랄도 병이다."

민지가 말했다. .

"....지랄도 병이라니...!!! 김민지 너...!!"

"나 뭐?"

민지가 말했다.

".....아... 아무 것도 아니야..."

다련이 말했다.

이 배신자....

배신자 김민지를 친구로써 사랑할 수 밖에 없는 바보 같은 나 장다련.......

".....넌 모르겠지만...... 윤태원... 너한테 차단당하고 나서 나한테 윤태원이 전화왔었어........

....술 진탕 마시고 반쯤 미쳐있더라...... 어떡하냐

고...... 어떡하냐고 하면서 막 울더라........

넌 모르겠지만 너 때문에 그 새끼 병신 됐었어.......

어저께......"

민지가 말했다.

".......나 때문에......?"

".....그래..... 너 때문에 병신 됐었다고..... 천하의 윤태원이.....

나한테 전화가 와서 나도 놀랐다니까........ 나 그 새끼랑 안 친하잖아......."

민지가 말했다.

"......."

다련이 아무 말없이 테이블을 박차고 일어났다.

"....나....... 윤태원한테 가봐야겠어."

다련이 말했다.

".....가서 뭐라 하게?"

민지가 말했다.

"술 마시지 말고...... 담배 피지 말라고 해야지....... 난 착하니까......."

다련이 말했다.

*

윤태원과 만나서 윤태원의 자취집 안이다.

".....여기가 네 집이구나."

다련이 말했다.

"....나한테 하고 싶은 말이 뭔데?"

태원이 말했다.

"........술 마시지 말라구. 담배도 피지 말구. 그리고.......

나 때문에 미치지도 마. 나 때문에 병신되지 말라구."

"피식. 너 참......... 잔혹하구나."

태원이 씁쓸하게 웃으며 말했다.

"......그래...!!!! 술, 담배.... 네가 싫어하면 안 할게.

안 할 건데.......... 너 때문에 미치는 거...... 그건 하게 해주라.

.....너 때문에 병신되는 것도 하게 해주라.

.........너와 달리 난, 너 없인 못 살거든."

태원이 말했다.

"......."

다련이 말없이 서있었다.

"그게 할 말 끝이냐?"

태원이 말했다.

"......으, 응..... 이 말 하려고 왔어."

다련이 말했다.

".....피식. 데려다줘?"

태원이 말했다.

"......아니...!!! 됐어!! 괜찮아!!!!"

다련이 말했다.

".......그럼 혼자 잘 가던가."

태원이 말했다.

저... 저.....

싹바가지 없는 놈.......

*

띠리리-

태원이다.

".....왜???"-다련

"...너 집에 갈 때까지 심심할거 같아서. 나랑 통화하자고."-태원

"시... 싫어...!!! 미친 놈아..!!! 내가 심심하다고 너랑 통화를 왜 해...!!"-다련

".....그렇게 싫냐....? 그래. 미안하다. 끊는다."-태원

".....그래!!! 나 엄마, 아빠랑 통화할거야!!!! 끊어!!!!"-다련

"...피식..... 끊는다."-태원

뚝-.

전화가 끊겼다.

두근 두근 두근.......

가슴이 미친 듯이 위로 뛰었다가 곤두박질쳤다가 난리 부르스를 추는데

어찌 할 도리가 없었다.

"아악!!! 아악!!! 정신 차려!! 정신 차리자!!! 장다련!!!"

다련이 서울 시내 한복판에서(?) 머리를 두 손으로 쥐어뜯으며 집으로 향했다.

*

"......너 아직 열 다섯 살밖에 안 됐어. 장다련. 정신 차리자."

집에 도착 후.

아 참.

내일 부터는 다시 중학교에 나가게 되는 날이지.

봄이니까......

...좆됐다.

...나 학교 친구 없는데.

......어떡하지?

*

오전 시간.

다들 북적북적이며 자기네들끼리 수다를 떨고 있는데, 다련만 혼자다.

이 곳은 무대예술중학교.

나름대로 명문을 자랑하는 이 학교에.....

윤태원이 안 다니면 섭섭한데.......

윤태원은 옆 반에서 친구들과 함께 노는 중이다.

"......에휴......."

다련이 한숨을 내쉬며 책 속에 얼굴을 파묻었다.

...잠 온다. 잠이나 자야지.

톡톡-.

누군가가 다련을 건드린다.

"......미안한데, 자리 좀 비켜줄래? 우리 잠시 놀게 있어서...."

다련에게 말했다. 여자 무리들이 말이다.

"......아...... 응......"

다련이 자리를 비켜줬다.

시원섭섭한 오전 시간을 보내고.

드디어 회사에 가는 시간이다.

어느 새 차라리 회사에 가는 게 즐거워졌다.

적어도 학교에서처럼 은따 당하진 않을 테니까.

김민지가 있으니까.

*

5.

"기지배야!! 너 학교에서 친구는 많아??"

회사 안.

민지가 다련에게 물었다.

"응? 하하... 그... 그게.... 나.... 사실....

은따야...."

다련이 말했다.

"그래?? 그럼 잘됐네!! 나도 회사에서 너희 학교로 전학보내준대서

너희 학교 다니게 됐는데!! 같은 반 되면 같이 다니
자!!"

민지가 말했다.

"그래!!"

다련이 민지의 그 말에 얼굴이 밝아졌다.

*

다음 날 학교.

민지는 다행히 다련의 반으로 전학왔고, 다련의 옆자
리에 앉게 되었다.

"꺄!! 다행이다!! 다련아!!"

민지가 다련과 하이파이브를 하며 말했다.

"그러게!"

다련이 싱긋 웃으며 말했다.

다른 반에 있던 윤태원이 저벅저벅 다련에게 걸어왔
다.

"......야."

태원이 말했다.

"....? 누구 부르는 거야?"

다련이 모르겠다는 듯한 눈빛으로 말했다.

"......누구긴 누구야. 장다련 너 부르는 거지."

태원이 말했다.

"......나는 갑자기 왜 부르는데?"

다련이 말했다.

"....너 갑자기 말 안 더듬는다? 말 더듬기도 귀찮냐?"

태원이 말했다.

"그래!! 나 이제는 당당해질거야!!"

다련이 말했다.

"다른 반이지만 아는 척 안 하면....... 뒤진..... 아.
이 말 안하기로 했지. 후....... 괴롭힌다?"

태원이 말했다.

"....아는 척 할게! 됐냐?"

다련이 말했다.

"풋. 그래. 당당해서 좋다."

태원이 말했다.

그리고는 그 자리에서 떠났다.

그가 떠나자마자 종이 울렸다.

"야..... 윤태원 쟤... 종소리 맞추는데 신기있나 봐...."

민지가 옆자리에 앉은 다련에게 소근소근댔다.

".....쟤가 신기는 뭐 신기. 그딴 거 없어."

다련이 말했다.

*

회사 연습실 안.

다련이 솔로 댄스 연습을 하고 있다.

"...자. 원. 투. 쓰리. 포. 다련아, 이 동작은 좀 더 세
게!"

다련의 여자 춤 선생님이 말하며 춤췄다.

"네!"

다련이 열심히 춤을 췄다.

"춤 숙지는 했어?"

여자 춤 선생님이 말했다.

"네!!"

다련이 말했다.

"그럼 숙지했나볼까? 지금부터 노래 틀게~"

여자 춤 선생님이 말했다.

다련의 목소리가 녹음되어있는 그 노래에....

다련이 맞춰 춤을 춘다.

다련의 춤실력은 굉장했다.

"잘했는데?? 오늘은 여기까지 하자!!"

다련의 여자 춤 선생님이 말했다.

"네!!"

다련이 말했다.

*

윤태원이 기대어 서있었다.

한 손으로는 담배를 꼬나물고, 다른 한 손으로는 스마트폰을 만지작대며.

"....야!! 여기서 담배피지 마!!!"

다련이 빽 소리쳤다.

"..아 씹.... 고막 터지겠네.... 왜 소리는 질러."

태원이 말했다.

"여기에는 왜 서있냐?"

다련이 말했다.

"....그냥. 너 보고싶어서."

태원이 말했다.

".....뜬금없이 나는 왜 보고싶은데?"

다련이 말했다.

"....그냥. 보고싶으니까. 보고싶어서 보고싶다는데 네가 왠 참견이냐?"

태원이 말하며 담뱃불을 땅바닥에 비벼껐다.

".....나이 열 다섯에 꼴초라니...... 윤태원 네 인생도 참..... 어메이징하다."

다련이 말했다.

"...미안한데 나도 남자라, 담배랑 술이랑, 여자는 못 끊거든~"

태원이 말했다.

"....여.... 여자??? 너한테 여자가 있어?? 팬들한테 유사연애 감정을 줘야 할
남돌이라는 애가!!!"

다련이 소리쳤다.

"....씹... 내 고막 터지겠네..... 그만 좀 소리질러."

태원이 말했다.

"그래서. 여자친구가 생기셨다?"

다련이 말했다.

"......아니. 여자친구는 아니고..... 여자는 내 앞에 있네.
예뻐도 존나 예쁜 여자."
태원이 말했다.
".....그게 누군데?"
다련이 말했다.
"......너."
태원이 말했다.

*

밤바람이 봄인데도, 춥다.
오늘도 윤태원 재수탱이 녀석이 회사 버스 안에 자리
잡고 앉아있다.
오후 10시 30분.
저 재수탱이 녀석....
면상에다 침을 퉤!! 하고 뱉어주고 싶단 말이지.....
....그러면 안 되겠지만.
그나저나, 기사 불러서 가면 되는데.... 왜 회사 버스를
타지?
거 참..... 이상하네.
"장다련... 야!! 장다련!! 일어나!!"
태원이 자고 있는 다련을 깨웠다.
"응?? 아..... 나 잠잤나???"
다련이 말하며 일어났다.
".....내가 네 알람이냐?? 맨날 너 깨워주게?"

태원이 말했다.

"...그럴 수도 있는 거지... 뭘 그러냐??"

"빨리 내려. 나 집에 가게."

"아, 알았어!!"

"그리고.... 너 데뷔 날짜 언제냐?"

"나...? 3월 18일."

"좋았어. 그 때 보자? 괴롭혀줄테니깐."

태원이 매섭게 싱긋 웃으며 말했다.

*

3월 18일 날.

2번째 데뷔가 되었고. 솔로 데뷔가 되었다.

데뷔 쇼케이스.

두근 두근.....

날 알아보면 어떡하지?

생각보다 다련의 솔로 데뷔는 반응이 아주 좋았고.

다련의 솔로 데뷔는 데뷔날부터 초대박이 나버렸다.

보이그룹 <블랙>만큼 말이다.

*

데뷔 축하 파티.

"잔다르크의 솔로 데뷔 초대박을 축하하며~~~"

민지가 케이크에 하나의 촛불을 꽂은 것을 들고 파티
실에 들어오며 말했다.

"김민지!!!"

다련이 놀라며 벌떡 일어나 촛불을 불었다.

후~

"축하한다!!!!"

블랙의 멤버들 한동주,진 선,윤태원,김정민이 모두 다 나와서 말했다.

"고마워!!!"

다련이 싱긋 웃으며 말했다.

"너... 씹..... 다른 남자들 앞에서 그렇게 웃지 마라. 토 쏠려."

태원이 말했다.

"야.... 토 쏠린다는 말은 또 뭐냐???"

다련이 말했다.

"어서 다들 앉아!!! 파티 시작하자!!!"

민지가 말했다.

다들 앉아서 수다도 떨고, 즐겁게 먹고 놀다가 집에 들어갔다.

*

다련의 자취방 안.

다련이 댓글들을 살펴보는데.....

좋은 댓글들도 많지만,

악성 댓글들도 달렸다.....

무려 댓글이 1024개다.

[죽어라. 기어나오지 말고. 토 나와.]

악성 댓글들은 보지 말자....

다련이 폰을 살포시 껐다.

*

다음 날.

톱스타의 하루는....

한 마디로......

째.지.는. 것이었다.

아침부터 째지는 기분에 다련이 콧노래를 불렀다.

그리고는 학교에 등교했다.

[미친 년.]

[좋은 음악 잘 듣고 있어요~]

[화이팅~ 사랑해요~]

선플들 속에서 선명하게 보이는.... 악플.

다련의 사물함에 가득한 선플들과 악플들이 그녀를 혼란스럽게 했다.

아....

이러면...

안 되는데.....

어지럽다...

기절.

자신을 향한 악플들을 많이 읽은 다련이 마침내는 그 자리에서 기절을 했다.

"장다련-!!!!"

자신을 향해 놀라며 달려오는 김민지의 목소리를 들으며.

*

학교 보건실 안.

"흑흑..... 다련아..."

민지가 울며 다련을 부르고 있었다.

"야... 기지배야... 왜 우냐?... 나... 천하의 잔다르크야...."

다련이 말했다.

"야!! 네가 왜 잔다르크냐?? 너 잔다르크처럼 마녀사냥 당하고 싶어??"

민지가 말했다.

"피식... 그럼... 너 평소에 나한테 왜 잔다르크라고 불렀는데?"

다련이 말했다.

"....그냥.... 네 이름이 장다련이잖아. ㅈ(지읒)ㄷ(디귿)ㄹ(리을)이라 똑같아서..."

민지가 말했다.

"...그런 거였구나."

다련이 말하며 한숨을 쉬었다.

"너 여기까지 데려다준거...... 윤태원이야. 윤태원이 너 기절하자마자 달려와서.....

너 업고 뛰어왔어."

민지가 말했다.

쿵.

그 말에 다련의 가슴이 쿵하고 내려앉았다.

"....그래서 윤태원은.... 지금 어디에 있는데?"

다련이 말했다.

".....나도 몰라."

민지가 말했다.

*

그날 밤.

다련의 꿈 속.

사람들이 모두 다 다련에게 욕을 한다.

'미친 년.'

'사라져!'

'죽어버려!'

'왜 사냐?'

그것도 손가락질을 하며.....

"...저한테 왜 이러세요?"

다련이 말했다.

'다 네 잘못이야!'

'뭘 잘했다고 말을 해? 입 닥쳐!'

'어머... 본인이 살아있는게 잘못된건지도 모르는가봐.'

그러자 욕과 원성이 더욱 더 커진다.

꿈에서 깼다.

"으아악!!!!! 허억... 허억..."

다련이 가슴을 쥐어뜯었다.

이렇게라도 하지 않으면 숨을 쉴 수 없다.

*

하지만 다련은 프로답게 굴어야 했다.

아직 열 다섯살 어린 소녀인데도 불구하고.

여자 아이돌이기 때문에.

다련은 늘 밝게 미소지었고.

아무도 그녀의 아픔을 알지 못했다.

*

학교 안.

"씨발........ 이거 누구야."

사람 피로 쓴 '장다련 죽어버려'라는 종이 글.

그걸 다련의 사물함 속에서 발견한 윤태원이 낮은 목소리로 말했다.

".....나도 몰라."

다련이 말했다.

".......나와!!!! 씨발!!!!"

태원이 사물함을 강하게 주먹으로 쳐버렸다.

콰앙-!!!!!!

그러자.....

사물함이... 부서졌다.

".....저예요. 잘못했어요. 한 번만 봐주세요. 장다련이 잘 나가는게 너무 싫어서...."

그러자 한 여학생이 태원의 앞에 와서 무릎을 꿇고 빈다.

"....너냐?? 야...... 내가 여자는 죽을까 봐 안 때리거든???"

태원이 말했다.

".....네....!!!"

"나 말고....... 장다련한테가서 싹싹 빌어... 사과해...!!! 안 그러면 씨발......... 이 자리서 조져놓을테니까......."

태원이 말하자, 그 여학생이 다련의 앞에 무릎을 꿇고 빌었다.

"....잘못했어요.... 아니... 잘못했어. 다련아. 한 번만 용서해줘.."

눈물을 뚝뚝 흘리면서 말이다.

"......아니야. 괜찮..... 읍..... 괜찮아...."

피로 적혀진 '장다련 죽어버려'라는 종이가 생각나자 다련은 잠시 기절을 할 뻔

했으나 이내 괜찮다고 했다.

".....알겠으면 이제 꺼져."

태원이 말했다.

그러자 다들 도망가고 없었다.

"구해줘서 고마워.... 나도 가야겠다."

다들 도망가고 나서야 정신이 번쩍 든 다련이 가려하

자, 태원이 다련의 뒷 옷깃을 붙잡았다.

"어딜 도망 가?"

태원이 말했다.

"뭔데?"

"내가 구해줘서 고맙다며. 그럼 나..... 볼에 뽀뽀해줘."

태원이 말했다.

"......뭐? 너..... 미쳤냐???"

다련이 말했다.

".....아니. 나 안 미쳤는데."

태원이 말했다.

"아니. 너 미쳐도 단단히 미쳤어. 안 그러고서야 나한
테 그런 말 할 수가 없지."

다련이 말했다.

"아, 얼른 해줘~!!!! 안 그럼 나 삐진다!!!!"

태원이 말했다.

"이게 어디서 아양을.... 휴.... 한 번만 해준다."

다련이 말했다.

쪽!

다련이 태원의 볼에 뽀뽀를 하고선 도망갔다.

그러자 태원이 어질어질해져서는 한 쪽 볼을 붙잡고
비틀거리며 반 안으로 들어갔다.

*

6.

[톱스타 윤태원과 톱스타 진미연, 둘이 사귀다?]

[톱스타 윤태원과 톱스타 진미연, 열애설 불거져...]

콰앙-!!!!!!

대형 소속사의 문을 쾅 열고 들어오는 싸가지 없는 저 녀석.

윤태원이다.

"...기사 뭐예요? 전 모르는 여잔데."

태원이 말했다.

"....오늘 정치인들 안 좋은 기사가 터졌어. 그래서 그 거 덮으려고

널 이용한거다. 조금만 참아라. 오늘만 참으면...."

박서준 대표이자 프로듀서가 말했다.

".....오늘만 참으면!!!!!! 그때는 내일도 참고, 내일 모레 도 참고,

계속 참아야겠네요??? 그렇죠????"

태원이 말했다.

그러자 서준이 피식하고 웃었다.

".....애기야. 세상은 말이야.... 원래 그런 거야. 모순되 었다고도 하지.

그런 거야, 원래."

서준이 말했다.

"...........어른이라 욕도 못하겠고.... 씨발......."

태원이 작게 씨발이라고 읊조리더니 가버렸다.

*

아침부터 난리가 나있었다.

"야, 너 그소식 들었어? 윤태원이랑 진미연이랑 사귄다
던데?"

쿵-....

옆자리에 앉은 민지의 말에 다련의 세상이 무너졌다.

"....아... 그래?"

다련이 애써 아닌 척하며 말했다.

"..그래. 이래서, 연예인들은 못 믿는다니깐~ 쯧쯧~"

민지가 말했다.

*

오후.

중형 기획사 안.

윤태원이 담배를 꼬나물며 다련을 기다리고 있었다.

민지와 함께 기획사 안에 도착한 다련은 태원을 보자
마자 지나쳤다.

"......야."

태원이 다련을 불렀다.

"...왜?"

다련이 말했다.

".....기사 봤냐?"

"그런 걸 왜 나한테 묻는데?"

"하.... 아니..... 씹..... 그거... 사실 아니라고..."

"....그래서, 그거랑 나랑 뭐 상관인데?"

"...너... 그렇게 나한테 관심 없냐?"

태원이 상처받은 듯한 목소리로 말했다.

"...야. 너 지금 나한테.... 존나 관심 주세요. 이 말로밖에 안 들려.

여자친구 따로 있고. 내가 네 스폰서니까 관심 주세요. 이 말로밖에 안 들린다고 알아? 그리고.... 나보고는 연애하지 말라면서.

너는 연애하는 이유가 뭔데?"

다련이 말했다.

"아... 아니.. 씨발...!! 그거 사실 아니라고..!! 어떻게 해야 믿을건데...!!

정정 기사 올라오려면 아직 시간이 흘러야 돼...!!! 정치기사 덮으려고 올린거라..!!"

태원이 말했다.

".....태원아.... 우리..... 스폰...... 그만 하자."

다련이 말했다.

"....뭐?"

".....스폰 관계.... 그만 하자고. 나 이제 돈 벌 대로 벌었어. 그것도 하루이틀만에.

너 더 이상 필요 없어."

다련이 말했다.

"....."

"...알겠냐? 윤태원."

"...알았어. 스폰, 그만 하자."

태원이 말했다.

"....그래."

다련이 말했다.

".....................우리, 연애 하자."

태원이 말했다.

다련을 똑바로 쳐다보며.

".......................

..........미친 놈."

다련이 그런 태원을 쳐다보며 말하더니 민지와 함께
댄스 연습실 안으로 들어가버렸다.

"....하아..........."

그러자, 태원이 그 자리에 담배를 꼬나물며 주저앉았
다.

".......넌 도대체 어떻게 하면 가질 수 있는 거냐, 장다
련......"

태원이 담배를 뻑뻑 피워대며 혼잣말했다.

*

마침내 저녁이 되고 정치기사가 마무리 되고 나서야
윤태원과 진미연이 사귀는게

아니라는 정정 기사들이 쏟아져나왔다.

대형 소속사 답게 그런 걸 잘 해냈고,

그제서야 열애설 기사로부터 태원은 자유로워질 수가
있었다.

하지만.......

태원과 다련은 스폰서 관계가 끝나 있었다.

"......."

다련은 혼자 있는 넓고 좋은 자취방 안에서 폰을 만지
작 댔다.

....미안한데... 윤태원한테... 전화나 해볼까....

윤태원한테 미안하니까....

큼큼.

목소리를 가다듬고.

윤태원에게 전화를 했다.

띠리리리-.

몇 번의 착신음이 가더니, 윤태원이 전화를 받았다.

"......."-태원

"...야. 나 다련이다. 장다련."-다련

"...."-태원

"...야. 너 왜 말을 안 하냐? 벙어리냐?"-다련

"..........병신아. 나 오늘 너한테 차였잖아. 왜 전화 했
냐."-태원

어...?

윤태원 목소리가 약간...

꽐라 같은데..?

"...야. 너 술 마셨냐?"-다련

".........좀 마셨다. 네가 뭘 상관이냐?"-태원

"...조금이 아니라... 많이 마신 것 같은데?"-다련

".....그래서. 네가 뭘 상관이냐고. 병신아-."-태원

"....야! 내가 왜 병신이냐?? 꽐라 된 네가 병신 아니야??"-다련

"............................병신."-태원

뚝-.

전화가 끊겼다.

허... 참....

뭐야???

됐다. 상관 하지 말자.

다련이 침대에 대(大)자로 누웠다.

"하아~ 편하다~"

다련이 혼잣말했다.

똑똑똑-.

어?

누구지?

이 시간에 집에 들어올 사람이... 아무도 없는데?

없는 척 해야지.

그런데...

누군가가... 문을 따고 들어왔다.

다련은 어디론가 숨었으나, 이내 그 남자에게 잡히고
말았다.

"꺄아악!!!"

다련이 소리쳤다.

이 상황에서 도와줄 수 있는 사람은,

아무도... 없다.

*

"가지고 있는 돈 다 내놔."

강도가 칼을 들며 다련에게 말했다.

그러자 다련이 서둘러 돈들을 다 챙겼다.

"여, 여기요...."

다련이 말했다.

그러자 돈들을 챙겨들고 강도가 사라졌다.

띠리리리-.

그 순간, 윤태원에게 전화가 왔다.

"...어........

윤태원..........."-다련

"...야. 너 목소리가 왜 그러냐? 꼭 울 사람처럼...."-태
원

"....나.... 강도한테 도둑질 당했어....... 내 돈.... 다 털
렸다고....."-다련

"............병신. 거기 어디야."-태원

"......네가 뭘 어쩌게? 이미 강도 도망갔는데..."-다련

"그래서, 어디냐고, 병신아-!!!!!!"-태원

"....집이야..... 네가 줬던 그 집....."-다련

"....거기 가만히 있어..... 씨발......"-태원

뚝-.

전화가 끊겼다.

태원이.....

강도를 잡아서 경찰에 팔아넘기고 왔다.

그 칼 든 강도를 말이다.....

"........병신아. 괜찮냐?"

태원이 다련의 자취방 안에서 말했다.

"......아, 응.... 괜찮아졌어."

다련이 말했다.

다련의 말에 태원이 담배를 피웠다.

베란다로 가서 말이다.

"......"

다련은 말 없이 쇼파에 누웠다.

"....야, 나 너한테 고백한 거............

...........야, 자냐?"

태원이 말했다.

그러자 다련이 자는 척을 했다.

"...........거짓 아니라고, 병신아. 큭. 그 말 하고 싶었
어."

태원이 말했다.

그리고는 담배를 지져끄더니 집에서 나가버렸다.

띠리리-

쾅-.

그제서야 다련이 두근두근대는 심장을 붙잡고 일어났다.

".........쟨 진짜 한 번 망해봐야 정신 차리나............."

다련이 혼잣말했다.

*

"....나랑 열애설 뜬 애가, 얘야?"

진미연.

미연이 동료 멤버에게 물었다.

"....응. 걔 유명하잖아~ 너처럼 톱스타야."

동료 멤버가 말했다.

"........윤태원이라...... 후후훗...... 좀 괴롭혀줘야겠는걸?"

미연이 말했다.

*

다음 날.

중형 소속사 안.

오늘도 어김없이 그 곳에 태원이 상주하고 있었다.

"어머. 네가 윤태원이니?"

미연이 태원에게 물었다.

"....넌 또 뭐야. 씨발. 시비걸지 말고 꺼져."

태원이 욕지꺼리를 내뱉으며 말했다.

"....어머~ 이렇게 입이 사나우니..... 가짜 열애설이나 터지지~ 안 그러니??"

미연이 말했다.

"......나한테 볼 일이 뭔데. 씨발..."

태원이 말을 끝내자마자 미연이 태원의 입술에 키스를 했다.

그리고 그 모습을......

연습실에서 민지와 함께 나오던 다련이 보고 말았다.

쿵-.

그래서는 안 되는데...

그 모습에 다련의 마음이 쿵 하고 내려앉았다.

역시....

신의 계시 따위는 없는 건가....

".....재.... 윤태원 아니야?"

민지가 말했다.

"......그냥 가자."

다련이 말했다.

"....하지만..... 뭐, 그래!"

민지가 말했다.

둘은 팔짱을 끼고선 가버렸다.

"..........이게 뭐하는 짓이야?!?!? 씨발!!!! 내 입술 더러워졌잖아!!!!!"

태원이 소리쳤다.

"....이런 걸 원한 거 아니었니?"

미연이 말했다.

".....뭐??"

태원이 말했다.

"...............너 좋아하는 여자 있다며. 업계에 소문 다 퍼졌어.

..........너......... 아이돌 생활하려면, 조심해야겠더라."

미연이 말했다.

"......그래서, 씨발......... 뭐 어쩌라고?"

태원이 말했다.

".........내가......... 너네 둘 사이, 지독하게 괴롭혀줄게.

......그러니까.... 날 이용할 수 있으면..... 이용하란 말? 크큭."

미연이 말을 하더니 가버렸다.

*

마음이 싱숭생숭하다.

연예인 벤 안에 탔는데, 윤태원한테 전화가 걸려온다.

전화기를.... 꺼버렸다.

흐흐흐....... 또 울고불고 지랄하려나?

애기같은 놈......

마음 놓고 자려는데, 누군가가 벤을 두드린다.

아, 어떤 미친 팬이야?!

무시를 하고 자려는데.......

벤의 창문이 열린다.

악!!! 이게 왜 열려?!?!?!

"매니저 오빠!! 이게 뭔 짓...."

다련이 말했다.

".......장다련. 내 전화 왜 안 받냐. 또 내가 돌아버리는 꼴 보고싶냐?"

태원이 무시무시한 표정으로 말을 했다.

"........

.................마음껏 돌아버려라!!!! 나 이제 하나도 안 무서우니까!!!!"

다련이 말했다.

"......나도 탄다."

태원이 다련이 타고 있던 벤 안에 탔다.

"둘이 아주 사이가 좋네~? 친구 사이야~?"

다련의 매니저가 말했다.

"히히. 네!!!"

다련이 말했다.

"미쳤어요? 내가 이딴 애랑 친구하게?"

태원이 말했다.

".......야.

너 내 친구 아니면..... 내려."

다련이 말했다.

"......싫어."

"내려!!"

"싫어!!"

태원이 말했다.

"....하하하... 얘들아, 그만 싸우고.... 다련이 집에 다 왔다!!"

다련의 매니저 오빠가 말했다.

다련이 내리며 빠이빠이 했다.

"야, 나도 내려."

태원이 말했다.

"...야!! 집 앞인데 왜 내리냐?? 변태냐??"

다련이 말했다.

"뭐?? 변태??"

태원이 말했다.

"......미친 년아-!!!!"

진미연이 다련의 멱살을 잡더니 다른 한 손으로 다련의 뺨싸다구를.....

갈겨버렸다.

"....!!!!"

맞아버린 다련이 놀란 눈빛으로 미연을 쳐다봤다.

".......윤태원, 내 남잔데 왜 건드려??!?!!?!?!"

미연이 말했다.

"..........이게 뭐 하는 짓이냐."

태원이 성난 표정으로 말했다.

"......태원아. 너 설마 저 그지깽깽이같은 년 좋아하는 거 아니지??

......(소곤소곤)좋아한다고 하면...... 쟤 업계에서 매장 시킬거야.... 큭...."

미연이 태원에게 귓속말을 하며 말했다.

".........씹..............................

..............안 좋아해."

태원이 말했다.

쿵-.

그 말에 다련의 가슴이 또 쿵하고 내려앉았다.

".......역시 그럴 줄 알았어!

나랑 같이 데이트나 하러 가자!"

미연이 말하며 태원과 팔짱을 끼며 걸어갔다.

툭, 툭.....

그들이 떠나자 다련의 눈에서 눈물이 흘러나왔다.

...........아, 나... 장다련...... 왜 이러니, 진짜.....

...너 이렇게 약한 애 아니잖아......

눈물을 슥슥 닦고 다련이 집으로 들어갔다.

*

"......이제 이거 놔."

태원이 거칠게 팔짱을 낀 팔을 떼어놓았다.

"......너, 나 진짜 싫어하나보다?"

미연이 말했다.

"어. 존나게 싫어."

태원이 말했다.

".......큭. 어쩌나. 난 앞으로 더 너네 둘 괴롭혀줄건
데."

미연이 말했다.

"....너.... 도대체 빽이 얼마나 많길래 나한테 빌빌 안
기고 이러는 거냐?"

태원이 말했다.

"....모르긴 몰라도.... 너네만큼은 많아~~ 장다련 하나
매장시킬 수 있을 만큼...."

미연이 말했다.

".....재수 없는 년."

태원이 말했다.

"....날 좋아해야 할 걸???? 앞으로 자주 보게 될 거니
말야..... 큭........

그 때까지 잘 지내라구~~ 친구~~"

미연이 말했다.

".....너랑은 친구도 안 한다. 잘 가라. 미친 년아."

태원이 손을 흔들며 먼저 가버렸다.

"............넌 날 좋아하게 될 거야............. 윤태
원........ 큭..........."

미연이 작은 목소리로 태원의 뒷모습에다 태원이 안 들리게끔 말을 하더니
반대 방향으로 가버렸다.

*

작가의 말:내용이 너무 그 뭐시기 뭐냐........ 너무 거시기하게 흘러가네요.....;;;
하하하;;;; 죄송하다고 하고 싶어도 보는 사람이 없어서 말도 못하는........

7.

그로부터 2년 뒤.

미연이 괴롭힌 덕에 태원과 다련의 상태는 소원해진 상태였고,

그 상태 그대로 무대예술고등학교에 진학하였다.

미연과 태원, 다련과 민지는 무대예술고등학교에 진학하였고,

"...태원아~~"

미연이 태원을 부르며 태원에게 뛰어왔다.

그러더니 태원에게 딱 달라붙었다.

"......역겨워. 떨어져."

태원이 말했다.

"싫은데???"

미연이 말했다.

아이돌 생활도 어느 덧 2년이 넘어가고 있었다.

무료했던 그 삶에....

한 남자아이가 전학을 온다.

중국에서 온 남자아이.

"안녕하세요? 제 이름은... 왕티엔이라고 합니다."

조금은 서툰 발음으로 말을 하는 저 아이가.

....조금은 내 마음에 들어.

다련이 그런 생각을 했다.

왕티엔이는 나와 짝꿍이 되었고.

미연은 태원과,

민지는 다른 여자아이와 짝꿍이 되었다.

어차피 오전만 하다가 가니까. 괜찮을 거야.

.....그렇게 생각한 내가 오산이었다.

"안녕?"

옆자리에 앉아있던 티엔이가 다련에게 말했다.

"...어? 안녕..."

다련이 말했다.

"...내 이름은 왕 티엔이. 한국말 뜻으로 하면 하늘을
날다.라는 뜻이야.

잘 지내보자."

티엔이가 말을 했다.

"....그래."

다련이 말했다.

이를 띠꺼운 시선으로 바라보고 있던 한 남자가 있었
으니...

그건 바로 윤태원이었다.

"나도 너네 회사로 이적했어. 너희 회사 요즘 잘 나가
잖아. 그래서."

티엔이가 다련에게 말했다.

"..그래? 그럼 자주 보겠네. 잘됐다. 그나저나, 너 중국
사람 맞아?

한국말 되게 잘한다."

다련이 말했다.

"....그럼. 한국에서 오래 살았는 걸."

티엔이가 말했다.

난 왠지 티엔이가 저 멀리 사라져버릴 것 같은 생각이
들긴 했다.

그래도 그 애에게 웃어주었다.

내 동료니까.

*

제기랄!!!

옆자리에 앉아있던 티엔이에게 웃어주던 다련의 얼굴
을 보자마자 그 새끼를

반쯤 죽여놓고 싶었다.

내 꺼라고. 장다련은 내 꺼라고 말하고 싶었다.

그런데 씨발. 지금 상황이 그럴 수가 없잖아.

빌어먹을 진미연 때문에.

처음엔 진미연이 싫었지만. 지금은 싫은 건 아니었다.

그렇다고 좋은 것도 아니었다.

빌어먹을....

태원이 벽을 주먹으로 쾅 치더니 괴로워했다.

2년 전보다 더 커진 몸집은 그의 세월을 실감해주는 듯 했다.

그딴 중국놈이 뭐가 좋다고....

이해가 되질 않는다.

*

중형 기획사 후원엔터테인먼트 안.

김민지가 장다련을 반긴다.

"꺄아악!! 다련아!! 또 만났구나!! 나 학교에서 오늘 내 짝꿍이랑 친구 먹었다??

너도 소개해주기로 했어!! 우리 다같이 친해지자!!"

민지가 말했다.

제기랄.

이 마당발같은 년....

"...그래. 잘 됐다."

다련이 말했다.

"....장다련?"

티엔이가 다련에게 말했다.

티엔이다.

"안녕?"

다련이 말했다.

"....나, 너희에게 말할게 있어. 밖에서 얘기하자."

다련이 말했다.

*

다련이 신의 계시를 받고 가수를 꿈꾸게 된 계기를 말한 뒤....

다련은 눈을 꾹 감았다.

.....얼마나 이 순간을 참았던가.

처음으로 남에게 말해보는 것이었다.

유일한 가족인 부모님에게도 말하지 못한 것이었다.

"뭐!! 그럴 수도 있는 거지, 안 그래??"

민지가 말했다.

"...나도 그렇게 생각해. 정신적인 문제인걸수도 있지만, 진짜 신의 계시였을 수도 있잖아??

어쨌든 그로 인해 우리는 댄스 가수 장다련을 볼 수 있게 된 거고.

그 신의 계시라는 게 없었다면 우리는 아이돌 장다련을 볼 수 없었을 거야."

티엔이가 말했다.

"....고맙다, 얘들아. 속이 확 풀린다!"

다련이 말했다.

어휴....

이제야.....

속이 풀리는 구나......

스마트폰을 두드리며 혼자 서있는 멀쭉하고 더 잘생겨진 윤태원 자식.....

그 자식이 회사에 들어가자마자 있었다.....

늘 그렇듯 연습실 앞에....

".....야..... 너 너희 회사 안으로 안 들어가냐?"

다련이 말을 끝내자마자 태원이 티엔이를 째려보며 다련을 껴안았다.

"....야, 이 미친 놈...!!!!"

민지가 소리쳤다.

".....!!!!"

티엔이는 놀라며 자신을 째려보며 품 안에 보란듯이 다련을 껴안은 태원을 쳐다봤다.

"...어머!! 이게 무슨 짓이야!! 미안해요... 내 남자친구가 그만.... 실수를 저질렀네요!!"

미연이 다가와 태원을 데려갔다.

*

"야... 윤태원. 너 무슨 생각이야? 장다련은 널 좋아하지 않는다구. 내가 수도 없이

말해왔잖아."

진미연이 윤태원에게 가스라이팅을 했다.

"...이젠 다 상관없어. 권력이든 뭐든, 내 힘으로 싸울

거야. 그리고.... 장다련은 내가 가져."

태원이 말했다.

"너... 미쳐도 단단히 미쳤구나."

미연이 말했다.

"........난 너한테 관심 없으니까, 너 혼자 날 좋아하던 말던, 맘대로 해."

태원이 말하며 미연을 스쳐지나갔다.

".............쓰레기 새끼."

미연이 눈물을 흘리며 그 자리에서 주저앉았다.

*

미연은 무대예술고등학교에서 연예예술고등학교로 다음 날 전학을 가버렸다.

그리고, 더 이상은 태원에게 다가가지 않았다.

연락도 끊겼다.

"안녕? 내 이름은...... 유혜원이야."

수줍게 웃는 유혜원이라는 아이.

"내 짝꿍인데, 친해진 애야!! 자, 서로 인사해!!"

민지가 말했다.

"...안녕.... 난 장다련이라고 해."

다련이 말했다.

".....그래. 우리 잘 지내보자."

혜원이 말했다.

*

그로부터 몇 일 후.

유혜원과 윤태원이 사귄다고 소문이 났다.

그리고 그 소문은 사실이었고,

....둘은 잘 연애 중이었다.

...공교롭게도.

"...야. 윤태원. 너 진짜로 우리 친구 유혜원 뺏어갈거냐?"

민지가 한 쪽 눈썹을 거하게 들어올리며 말했다.

오늘은 수학여행 날.

제주도로 수학여행을 간다.

그것도 비행기를 타고!!

"아, 그럼 어쩌라고~ 너네는 티엔이랑 놀아~"

티엔이는 이미 다른 남자인 친구를 사귀어서 놀고 있었다.

"...티엔이는 인기가 많잖아!! 남자인 친구가 있다고!!"

민지가 말했다.

"...됐고. 혜원이는 내 꺼다. 알겠냐?"

태원이가 말했다.

"째째한 녀석... 다련아. 우리는 우리끼리 놀자!"

민지가 말했다.

"응.... 그래!"

수학여행 버스 안.

민지와 나는 같이 앉았고, 유혜원과 윤태원도 같이 앉

고,

나머지는 알아서 앉았다.

민지와 나는 과자나 까먹고 놀고 있는데....

앞에서 유혜원과 윤태원이 꽁냥꽁냥 대는 소리가 들려
서 살 수가 없었다.

그래서 우리는 그들보다 더 크게 떠들었다.

"하하하!!! 그래서!! 다련아!!!!!! 그게 이렇게 된 거 아
니겠니!!!???!!!"

민지가 소리질렀다.

"맞아, 맞아!!!!!! 네 얘기 너~무 너무 재밌다!!!!!! 민지
야!!!!"

다련이 소리질렀다.

"야!!! 너네들!!! 조용히 떠들지 못해?!?!? 수학여행 날
이라고 버스 안에서

소리를 지르면 어떻게 해!!"

대번 여자 담임 섬생님의 가르침이 들어왔다.

".......아.... 죄송합니다...... 쌤...."

민지가 말했다.

"죄송합니다....."

다련이 말했다.

그래서 우리는..... 유혜원과 윤태원이 꽁냥꽁냥 대며
둘이 뽀뽀도 몰래 하고

손도 몰래 잡는 그런 모습들을 뒤에서 말없이 팝콘을

먹으며 관람을 하며 갈 수 밖에 없었다.

....제길......

다련이 생각했다.

*

제주도다.

우리들의 수학여행 종착역!!!!!!

다련이 내려서 드디어 모든 것이 끝났다는 듯 좋아하
는데,

유혜원과 윤태원이 꽁냥대며 내린다.

"...야... 우린 쟤네 피하자.... 가까이 해서 좋을 것 없
을 것 같애."

민지가 말했다.

"...그래, 그래...."

다련이 말했다.

우리는 슬금슬금 그 꽁냥대는 커플을 피했다.

너무너무....

너무너무.....~~~!!!!!!!

부러워서 그런 것도 있었다.......

제길.

다련이 생각했다.

*

"그래서 씨발, 걔 얘긴 왜 꺼내는데-!!!!!!"

제주도.

일 터졌다.

다혈질인 윤태원이 순한 성격의 유혜원을 맞춰주지 못하고 그만...

유혜원에게 소리를 치며 싸우기 시작한 것이다.

".....그게.... 미안해........ 태원아..... 흑흑....."

혜원이 눈물을 뚝뚝 흘리며 말했다.

그러자 태원이 벽을 한껏 센 주먹으로 한 대 치고선 그 곳을 벗어나버렸다.

".....무슨 일이야?? 혜원아??"

다련이 혜원에게 물었다.

".....그게...... 다련이 네 얘길 꺼냈는데...... 갑자기 태원이가 불같이 화를 냈어..."

혜원이 말했다.

"뭐..?"

다련이 말했다.

"그 새끼 진짜 왜 그런다냐? 다련이 네가 뭘 그리 잘못했다고 널 그리 싫어....

야!! 어디 가!!! 장다련!!!!"

민지가 뒤에서 부르짖음에도 불구하고.

나 장다련은.

나도 모르게.....

윤태원을 향해 달려가고 있었다.

*

윤태원은 혼자 제주도의 어디엔가 혼자 앉아 있었다.

".........여긴 왜 왔냐."

태원이 말했다.

"...나 때문에 둘 사이 틀어진 거라며."

다련이 말했다.

".....그거 말하려고 여기까지 왔냐? 너도 참, 할 일 더럽게 없다. 피식."

태원이 말했다.

"...나 때문에 둘 사이 틀어진거면, 나 걱정 안 해도 돼...!!!!! 그러니까...."

다련이 말했다.

".....어쩌라고? 이렇게 된 게, 다 너 때문이잖아.....!!!!!! 난 분명 너를 좋아한다고 말했어."

태원이 말했다.

그러고는 태원이 다련에게 걸어왔다.

17살이 된 태원은 엄청나게 키가 커져있었다.

다련이 위를 올려다봐야될 정도로 말이다.

".......하지만 넌 이미, 유혜원과 사귀고 있잖아. 너 이러는 거, 범죄야...... 태원아."

다련이 말했다.

"범죄? 범죄 좋아하고 있네. 범죄의 뜻을 모르냐?"

태원이 말했다.

"그럼 나보고 대체 뭘 어쩌라고...!!! 윤태원!!! 네 여자

친구 지금 울고 있다고...!!!!

가서 네가 달래줘야지...!!!!! 네 지금 여자친구 유혜원

이잖아...!!!!"

다련이 말했다.

"......넌 예나 지금이나, 쓰레기구나....... 장다련."

태원이 말했다.

"...뭐?"

다련이 말했다.

"다시 한 번 말해줘? 쓰레기....."

짜악-!!!!!!!!!

다련이 참지 못하고 태원의 뺨싸다구를 갈겼다.

".........내가 쓰레기라고? 그럼 지금의 넌? 지금의 넌,

구제하지 못할 나보다 더 엄청난

쓰레기지. 가서 유혜원한테 잘못했다고 싹싹 빌어!!!!

나 말고 유혜원한테!!!!!

미안하다고!!!!! 싹싹 빌으라고!!!"

다련의 말에 태원이 멍해져서 다련을 쳐다봤다.

"병신같은 쓰레기........"

태원이 한 마디 말을 하더니 땅바닥에 침을 퉤 하고

뱉고선 가버렸다.

*

수학여행 하루만에 들린 소식은, 유혜원과 윤태원이

헤어졌다는 소식이었다.

....우리는 혜원이를 친구로 다시 받아들였다.

아니, 다시 친구가 되었다.

"......흑흑........"

울고 있는 혜원이를 토닥이는 건 민지였다.

아무 것도 혜원이에게 해줄 수 있는 게 없다는 걸 실감하는 가운데, 누군가가 숙소 문을 두드리며 말한다.

"장다련!!!! 누가 너 나오래!!!!"

그 소리에 다련이 나가서 누군가를 기다렸다.

.....그 누군가는.... 윤태원이었다.

"왜? 잘생긴 내 얼굴 보니 이제야 좀 연예인 본다는 실감이 나냐?"

태원이 말했다.

".....웩...... 본인이 잘생겼대...... 미쳤나 봐....... 나르시스트냐?"

다련이 말했다.

".....나 유혜원이랑 헤어졌어."

쿵.

태원의 그 말 한마디에 다련의 손이 덜덜덜 떨리고 웃음이 지어지지가 않았다.

다 나 때문인 것 같아서.

"....그래?"

애써 다련이 웃어보이며 말했다.

"....다 너 때문이야. 다 네가 내 머릿 속을 차지하는 바람에-."

태원이 말했다.

"그게 왜 내 탓인데? 어찌 생각해보면..... 네 탓도 있는 거잖아?"

다련이 말했다.

".........야....... 우리........... 키스 하자."

태원이 말했다.

다련이 무슨 말을 하기도 전에

태원이 다련을 붙잡고 입술에 키스를 했다.

한 3분 동안이나 키스를 했을까.

둘은 입술을 뗐다.

".........미친 놈..................."

다련이 말을 하고 나서는 그 자리에서 뛰쳐나왔다.

태원은 멍한 표정으로 그 자리에 앉아있다가 입술을 만지작거리며 웃었다.

*

작가후기:야....태원아 너 변태같다, 야......

8.

그렇게 수학여행은 끝나버렸다.

유혜원은 김민지 옆에 앉았고,

왕티엔이는 다른 남자애 옆에 앉았고, 나는...?

남은 자리가 윤태원 옆자리 밖에 없다는 것을 알고 나

서는 경악을 금치 못했다.

제기랄. 내가 왜 쟤 옆에 앉아야 되는 건데!!

라고 다련이 속으로 경악했다.

이를 눈치 챈 왕티엔이가 자신의 짝꿍을 윤태원 옆에 앉히고 나를 자신의 옆에 앉혔다.

"...히히. 나 잘했지?"

티엔이가 옆에 앉은 나를 보며 말했다.

"...히히랜다. 재수 없는 새끼."

이를 앞에서 다 듣고 윤태원이 잔뜩 성질 난 목소리로 말했다.

"우리 뭐하고 놀까?? 다련아!!"

티엔이가 말했다.

"...남자 여자끼리 뭘 놀아~ 그냥 조용히 가자..."

다련이 말했다.

"힝... 다련이는 내가 싫어?"

티엔이가 말했다.

"...웩.... 남자가 힝... 이랜다. 재수 더럽게 없는 새끼."

우리 앞에는 혜원이와 민지가 수다를 떨며 놀고 있고, 그 앞에 태원과 티엔이의

남자인 친구가 덜덜덜 태원이 무서워 떨며 조용히 가고 있는데, 태원이 티엔이의

목소리를 어떻게 듣는 건지, 저렇게 혼자 맞장구를 쳐 댔다.

이에, 장다련은 오기가 생겼다.

"....티엔이!!! 우리 신~나게 놀자!!! 응???"

다련이 말했다.

"히히... 좋아!!!"

티엔이가 말했다.

그렇게 쉬는 시간.

고속버스 휴게소 시간이다.

혜원과 민지와 다련은 내렸다.

-휴게소 안-

"야. 우리 뭐 사먹을까?!"

민지가 잔뜩 신난 목소리로 -_- 말을 했다.

<<<<<작가가 결국에는 이모티콘을 쓰기로 작정했나봅니다...........

<<<<<작품에 이모티콘 안 쓰려고 그렇게 속으로 발악을 했는데........

"나?! 나는 오뎅!!! -0-"

혜원이 잔뜩 부푼 목소리로 -_- 말했다.

".....나는 붕어빵!!!! -0- ...."

다련이 말했다.

".....븅신.-_- 이 봄에 누가 붕어빵을 파냐?!"

태원이 말했다.

".....= _ =야. 너는 유명 연예인이라는 놈이. 우리 일엔 왠 참견이냐?!"

다련이 말했다.

".....-_-내 맘이다. 장다련 네가 너무 븅신같아서 그런다. 왜? =_="

태원이 말했다.

".....야야. ^-^ 우리 그러지 말구...... 다같이 초코빵이나 사먹으러 갈랭?!

가까운데 빠리바게뜨 있어!!"

민지가 헤실헤실 웃으며 말했다.

휴게소에서 초코빵이랑, 떡볶이를 사먹고..........

(물론 윤태원은 하나도 안 먹었다. -_-;)

배 빵빵~해져서 차에 올라탔다.

"햐^0^ 배부르니 살 것 같다. ^0^"

다련이 만족한다는 듯한 목소리로 -_- 배를 팡팡 두드렸다.

"-_-어? 다련아.... 너 입가에 떡볶이 국물 묻었다."

옆에 앉아있던 티엔이가 -_-다련의 입가에 묻은 떡볶이 국물을 손으로 스윽- 닦아줬다.

그 모습을 앞에 앉아있던 윤태원이 -_- 찢어질 듯 노려보며..... 한 마디 했다.

"야. -_- 그 손 안 떼?!"

윤태원이 말했다.

"-_-....이....이미 뗐는데?"

티엔이가 말했다.

"....그럼 됐어. 븅신."

태원이 말했다.

"쎄쎄쎄~ -0-"

-_-어느 새 티엔이와 나는 -_-쎄쎄쎄를 할 만큼 -_-
친해졌고....

나는 쎄쎄쎄를 신나게 열창하며 -_-티엔이의 두 손을
위 아래로 휘저었다.

"아 씹. 고막 터지겠네!!! 씨발!! -0-!!"

=_=.......;;;;

그러자 태원이 또 소리쳤다.

....설마.... 우리보고 하는 말은 아니겠지...?

아닐 거야.... 암.... 아니야... 아니여.... -_-;;; 내가 장
담혀.....

그러나 태원은 정확히 복도쪽에 앉은 티엔이를 노려보
며-_- 말한거였고......

내가 참다 참다 못해.....

한 마디 할 수 밖에 없었다......

자....

잔다르크... 나가신다...!!!!

"....야..!!!! 윤태원!!!! 너는 -_- 뭐가 그리 잘났다고 우
리보고 계속 지랄이야. 지랄이!!!"

다련이 말했다.

그러자 -_-태원이 회심의 미소를 짓더니 (티엔이는 봤

다.)말한다.

".....내 맘이다!! 왜!!!! -0-!!! 못생겨서 좋겠다!!! 장다
련은!!"

태원이 말했다.

".....-_-그래!!! 난 너같이 얼굴값하는 놈보단 못생긴
놈이 더 좋아!!!"

다련이 말했다.

그리고......

-_-별 수확 없이..... 수학 여행은 끝이 나버렸다.

학교 안.

"여러분~~ ^0^ 수학 여행은 즐거웠나요~~?"

여자 담임 선생님이 말했다.

"네! 즐거웠어요! ^0^"

학생들의 대답.....

"...그럼 공부해야하니 다들 책 꺼내세요! ^0^"

여자 담임 선생님이 말했다.

"......나 책 안 가져왔는데. 씹. -_-^"

태원이 혼잣말했다.

"어머!! 태원이가 책을 안 가져왔네!! 다련이가 태원이
옆자리에 가서

같이 책 좀 봐줄래?? ^0^"

여자 담임 선생님이 말했다.

-_-... 왜 하필 나여....

왜 하필 나냐고...!!!

"...아... -_-.... 네....."

내가 꺼림칙한 표정으로.... -_-^ 윤태원의 옆자리에 앉아서 책을 폈다.

".......책만 봐라. 내 얼굴 보지 말구. -_-^"

다련이 말했다.

"...공주병 말기 환자......-_-^.............."

태원이 말했다.

수업이 끝난 후..........

"선생님!!! -_-저 책 없는데 얘 그냥 계속 제 옆자리에 앉게 하면 안 될까요. -_-"

태원이 티엔이를 째려보며 -_-말했다.

".......-_-그래. 그러지 뭐. 그럼 수업 끝이다!"

여자 담임 선생님이 말했다.

"네? ㅠ0ㅠ.... 선생님... 그것 만은......"

다련이 선생님을 붙잡아보려고 했지만 선생님은 이미 도망(?)간 뒤였다.

"븅신.....-_-^ 넌 내게서 못 벗어나."

태원이 말했다.

"=_=....야... 내가 어디서 들었는데... 연예인들은 다 매춘부라며?? 그럼 우리도 매춘부겠네??"

다련이 말했다.

"-_-그건 또 뭔 개소리야....... 연예인이면 연예인이지

뭔 매춘부야 시발....."

태원이 말했다.

".....=_=몰라. 그렇다던데??"

다련이 말했다.

".....=_=.....야..... 너.... 가수를 꿈꾸게 된 계기가....
뭐냐??"

태원이 물었다.

그러자 다련이 움찔거렸다. -_-

꼭 파닥거리는 물고기마냥.-_-;

".....=_=.... 그건 왜 묻는데?"

다련이 말했다.

이걸 말하면 난 미친 년 취급 받겠지.... -_-....??

다련이 생각했다.

"...=_=....그냥.... 궁금해서. 왜. 물어보면 안 되냐...??"

태원이 말했다.

".....-_-....난... 사실...... 그게........ 신의 계시를 받았
어. 그래서 가수를 꿈꾸게 된 거야."

다련이 말했다.

".........=_=....뭐.... 네 대갈빡에는 그럴 수도 있겠다는
생각이 든다."

태원이 말했다.

".......너무 신경 쓰진 마. 그딴 거..... -_-^ 다 금방
지나가는 거니깐....."

태원이 말했다.

이런 븅신같은 날......

처음으로 인정해준 사람 같아서.......

눈물이 갑자기 뚝뚝 흘러져 나왔다.......

=_=.....;;;

"....야..... 너 우냐?? =_=;;; 쓸데없이 울긴 왜 울어???"

태원이 말했다.

"아냐..!!!! 너무 고마워서..... 고마워서 우는 거야......

^-^ 싱긋.... 웃어보일게......

나는 이제 가수 장다련이니까....! 잘할 수 있어...!!"

다련이 싱긋 웃으며 말했다.

*

중형소속사 후원엔터테인먼트 안.

오늘도 우리 회사 연습실 앞에서 담배를 꼬나물고 서 있는 저 녀석.... -_-^

".....=_=야..... 담뱃불 꺼라.... 존말(?????)할때......"

다련이 말했다.

"-_-싫은데???"

태원이 말했다.

"그나저나, 여긴 왜 왔어, 이 미친 놈아!! -0-!! 너만 보면 하루 종일 재수가 없어!! -0-!!"

다련이 말했다.

"....야. 너 티엔이랑..... 이대로 쭉 멀어지면 안 되냐?"

갑자기 진중해진 태원이 말했다.

".........어? 왜?"

다련이 말했다.

"........-_-^ 아니 씹.... 티엔이가 너 좋아하는 것 같아서............"

태원이 말했다.

"하하..... 그게 뭔 개소리니.... 태원아....."

다련이 말했다.

"......그만해. 나, 다련이 좋아하는 거 맞아."

티엔이가 말했다.

"...넌 또 씹.... -_-^ 뭐냐?"

태원이 말했다.

"......장다련의 남자친구가 될 사람."

티엔이가 말했다.

".......너 드디어..... 미친 거냐....?"

태원의 심기를 건드렸다.

-_-^이건 분명..... 사단이 난 거다.

다련이 생각했다.

태원이 말했다.

"아니....^-^ 나 안 미쳤는데...??"

티엔이가 말했다.

"누가 니 여자친구야..... 씨발..... 말은 똑바로 해야지.......

미래에!!! 내 여자친구가 될 사람이라고!!!! -0-!!!"

태원이 말했다.

-_-.....말 단락이...... 왜 그렇게 되는 거니........

....이 말도 안 되는 광경에.... 그만 김민지는 어머나를 연속하며-_-.........

......연습실로 혼자 쏙 들어가버렸고......

나는 이 자리에서 어찌할 바를 모르고 있었다........

"다련아!! -0-!! 큰일 났어!!! 오빠 따라와 봐!! 얘기할 게 있어!!!"

매니저 오빠가-_- 날 불렀다.

*

"왜?"

내가 물었다.

"....너 지금까지 무슨 짓을 하고 다닌 거야??? 티엔이랑 태원이 사생팬들이 너랑 같이

있는 사진들 싹 다 가지고 있대. 그거 다 푼다더라. 얼마 전엔 태원이랑 키스도

했다면서??? 사진 다 찍혔어. 이제 우리..... 큰일 났어. 다련아."

다련의 매니저가 말했다.

"......뭐라고???"

다련이 믿기지 않는다는 눈으로 말했다.

*

대형소속사 잔다르크엔터테인먼트에서 혼나고 있는 건
윤태원도 마찬가지 였다.

"....어떻게 할 거냐?"

박서준 대표가 말했다.

"....어떻게 하다뇨, 열일곱살 애한테 할 말인가요~?"

태원이 건들거리며 말했다.

"......후...... 태원아. 너는 엔터사업이 좆으로 보이니?"

박대표가 말했다.

"......그건 아닙니다만....."

태원이 말했다.

"데뷔한지 2년밖에 안 됐어. 우리 아직 마의 7년 못채
웠다고. 너 잘나가는 톱아이돌이야.

이런 거 터지면 끝장나는 거 몰라??? 어떻게든 회사에
서 터지는 거 막아볼테니까,

넌 앞으로 남자애들이랑만 놀고 있어."

박대표가 말했다.

".....싫은데요."

태원이 말했다.

"....도대체 왜?? 너 설마..... 그 여자애를 좋아하기라
도 한다는 거냐??"

박대표가 말했다.

"...이 참에 터트리죠? 장다련과 윤태원. 사귀다. 라고."

태원이 말했다.

"....너 정말, 그 여자애한테....... 단단히 미쳤구나."

박대표가 말했다.

"........네. 미쳤죠. 날 미치게 만든 여자니까요."

태원이 말하고 나서 씨익 웃었다.

9.

*

한 편, 창조신은, 자신이 다련에게 준 '신의 계시'를 잘 이루고 있는

다련의 모습을 보며 뿌듯해하고 있었다.

"창조신님. 여자애에게 가수가 되라는 메시지를 남겨주시고는...

...이러는 거, 재밌으십니까?"

창조신의 보좌 천사가 물었다.

"...재밌지 않느냐? 꼭 남자만이 가수를 하라는 법은 없지."

창조신이 말했다.

"...창조신님은, 참..."

보좌 천사가 말했다.

"...내가 뭐 어떻단 것이냐? 이런 것이 성장이라는 것 아니냐?"

창조신이 말했다.

다련은 다음 날부터 두려움에 덜덜 떨었다.

자신에게 진짜 창조신의, '신의 계시'가 온 줄도 모르고.

여자애에게 창조신의 신의 계시가 가수가 되라는 것이라면, 그것은 너무 가혹했다.

내가 신이라면, 과연 신에게 묻고 싶다. 한낱 어린애에게 그래도 되는 것인지?

"그러고 보니, 혜원아. 너 우리 오후에 소속사로 가면 누구랑 놀아?"

민지가 혜원에게 물었다.

그러자 혜원이 뜨끔한듯 말한다.

"...그, 글쎄~?? 하하하...."

혜원이 말했다.

"너 설마... 우리 없으면... 왕따인거 아니지??"

민지가 말했다.

"...아, 아니야~!!"

혜원이 손사레를 치며 아니라고 부인했다.

"이거 이거... 수상한데?? 너랑 오후에 같이 밥먹는애 이름 대 봐."

민지가 말했다.

".....그게... 사실은.... 나.... 너네 말고 친구 없어."

혜원이 말했다.

"...뭐??"

다련이 말했다.

"....휴... 나 너네 없어서 밥먹을 친구도 없다구."

혜원이 말했다.

"...아무래도, 무리지어 다니는 애들이 많아서, 그런갑다.... 응...."

민지가 말을 하며 고개를 끄덕였다.

...이를 어찌하지?

다련이 고민을 하고 또 해봐도 답이 없었다.

"....그럼, 혜원이 너도 우리 소속사 오디션 볼래? 혹시 붙을지도 모르잖아."

민지가 말했다.

"...떨어질지도 모르니까, 한 번 봐볼까?"

혜원이 말했다.

"....그래!! 우리 회사 이래봬도 자본금 빵빵해!!"

민지가 말했다.

뭔가 혜원이 오디션에서 떨어질 것 같은 불안한 예감은... 나만 드는 걸까....

그리고 대망의 유혜원 오디션 날.

토요일.

*

유혜원의 오디션 결과는....

대차게...

떨어졌다.

.....중형소속사라 그런지, 붙기가 쉽지가 않았던 것 같다.

".....-_-....우짜냐.... 미안해서...."

민지가 말했다.

"=_=...괜찮너..... 내 인생이 뭐 그렇지 뭐.... 푸우....."

혜원이 말하고 난 뒤 한숨을 푸하고 내쉬었다.

"자자!! 오늘 전학생 왔다!! 다들 조용히 하고 자리에 앉아!!"

젊은 남자 선생님이 말했다.

다들 자리로 가서 앉았다.

여자애였다.

"....손지예라고 합니다. 반갑습니다."

얼굴을 붉히는 여자애....

"^-^음 그럼.... 지예는..... 혜원이 앞자리에 앉을까??"

"^-^네."

지예가 말했다.

지예가 혜원의 앞자리에 앉더니, 혜원에게 인사를 했다.

"안녕!^0^ 우리 잘 지내 보자! ^0^"

지예가 말했다.

혜원을 보며 말이다.

그렇게 지예와 혜원은 친구가 되었고, 우리는 네 명이서 다니게 되었다.

"...-_-야. 우리는 점심밥도 못 먹는데.... 몰래 옥수수빵이라도 사먹을까?"

민지가 자리로 모여든 4인방 중에서 다련을 툭 치며 -_- 말했다.

"...=_=살 0.1키로라도 찌면 너 그대로 감방행이다.....-_-너 그거 감당할 수 있겠어?"

다련이 말했다.

"=_=....아니.... 감당 못 하지. -_-...절대 못하지."

민지가 말하고 나서 한숨을 푹 내쉬었다.

-_-...기깔나는 한숨을...;;;

"=0=왜? 너네는 옥수수빵 못 먹어?! 요즘 우리 학교 매점 핫 트렌드인데?! 쩝쩝쩝!!"

=_=.... 지예가 어디서 구한건지 =_=...옥수수빵을 꺼내 먹으며-_- 말했다.

"...=_=너 그거 어디서 구했냐?? 너 매점 가는 거 못 봤는데."

민지가 말했다.

"...-_-나 학교 끝나서 맨날 매점 가서 옥수수빵 두 개씩 쟁여다가 집 가는 길에 먹고

아침에 싸오자녀."

지예가 말했다.

"-0-....너 그렇게 먹으면 살쪄, 임마..... 우리는 꿈만 꾸던 인생이구나... 휴우....."

민지가 말했다.

"야야. =_=담탱이 올 시간 다 됐다. 얼른 가서 앉자."

다련이 말했다.

그러자 다들 모여있었는데 흩어졌다.

다련은 그 재수없는 -_-윤태원 옆에 앉아야만 했다.

".........-_-친구 많으니까 좋냐??"

태원이 말했다.

"....-_- 넌 임마. 왜 시비냐??"

다련이 말했다.

"=_=.... 몸은 기아처럼 삐쩍 꼴아가지고....."

태원이 말했다.

"....=_=...두고 봐라. 나 7년 계약 끝나면 왕창 먹을 거여......"

다련이 말했다.

"....=_=그땐 또 뚱땡이 되겠구만."

태원이 말했다.

"자!!! -_-점심밥 먹기 전에 공지할 거 있다!! 우리 반 티 골라야 되니까

내일 오전까지 반티 골라놓도록!!! -0-!!! 이상!!!"

=_=....반티를... 고른다고...???

"=_=....야구잠바로 하고싶은데..... 반티...."

다련이 조그맣게 혼잣말 했다.

=_=....

"....씨발....=_= 그냥 야구잠바로 반티 하자. 엉??? -_-"

그러자 그걸 기깔나게 들은 -_-(귀가 왜이렇게 좋은지;;;)

<<<<<작가가 이모티콘으로 소설을 망치고 있어.......

윤태원이 반 아이들을 협박했다.

그러자 아이들이 무서워서 찍 소리도 못하고-_- 고개를 끄덕였다.

"좋아!! ^0^ 그럼 야구잠바로 반티 결정!!! ^0^ 디자인이랑 문구 알아서

내일 아침까지 내도록!! ^0^"

담임 선생님이 -_-한 가지 문제가 해결되자-_- 겁나게 기분 좋다는 표정으로-_-(문제가 많았던

모양이다;;;;) 반을 떠났다.

*

오후.

소속사 안.

다련이 노래연습실 안에서 노래를 불렀다.

그런데, 누군가가 다련을 불렀다.

그건 다련의 소속사 후원엔터테인먼트의 높은 자리의 사람이었고,

......다련이 불려나간 곳은, 술자리였다.

그 곳엔 민지와, 연습생들도 있었다.

아, 이건...... 에바잖아;;;

그것도 보통적인 술자리가 아니었다.

야한 룸에서 진행되는 술자리였다.

"이야~ 애기가.... 참 곱네, 고와~~"

할아버지로 보이는 거대기업 회장이 말을 하며 다련의
허벅지에 손을 대려던 그 순간이었다.

그 순간 다련은 무서워서 눈을 꾹 감았다.

콰앙-!!!

-_-......

윤태원이, 문짝을 거세게 열고 들어왔다.

"....어라? 넌 유명한 윤태원 아니냐? 너도 접대하려
고?"

"내가 미쳤습니까? 나도 부잣집 아들인데, 접대해서 뭐
하라고요?"

"아, 내가 그걸 잊었구나. 너도 거대기업 아들이지. 허
허허. 그런데, 여긴 무슨 일로...?"

"....여기에 있는 여자 연습생들을 다 빼내주십시오."

그러자 그 거대기업 회장 할아버지의 얼굴이 무섭게
싹 변했다.

어떻게 그렇게 변할 수가 있나 싶을 정도로.

".....알았다.

".....라고 할 줄 알았느냐? 열일곱살 밖에 안 먹은 놈 나부랭이가.... 컥!!!"

"꺄아아악!!!!!"

거대기업 회장 할아버지를...... 윤태원이 참지 못하고..... 룸 쇼파 위에 드러눕혀 목을 졸랐다.

그러자 여자연습생들이 소리를 질렀다.

"..........이대로 목이 졸려 사망하고 싶진 않으실텐데? 할아버지. 곱게 돌아가고 싶지 않으세요?"

"큭... 큭...... 이 중에 좋아하는 여자 연습생이라도 있나보구나. 아니면. 스폰 관계?"

"그딴 거 알게 뭐야, 씨발..............."

".....큭...큭... 좋아하는 여자애가 설사 연습생 중에서 있다고 해도 넌 못지킬 걸?

연예계가 원래 그런 바닥이거든. 더러운 바닥. 쟤들 중에 부잣집 딸이 있지 않은 이상은, 창녀가 될 걸.

네가 그거 막을 수 있을 거 같애?"

".........."

".....이거 좋은 말 할 때 놓으시지요........ 아......... 장다련이 네가 좋아하는 년이라며....??

그 집안 거지인 년.... 크큭........."

".......이 미친 할배가..........!"

".....그런데 어쩌나. 네가 아무리 장다련 스폰을 해줘도...... 장다련은 거지인 게 안 들통날 수가 없거든.

...그리고 나도 장다련이 탐나서 말이야. 크크크
큭........."

"...이런, 씨발................"

"......이거 놔...!!!! 네 장다련 다치는 꼬라지 보고싶지
않으면....!!!"

거대기업 회장 할아버지의 마지막 말에 윤태원이 목을
조르던 손을 풀고 내려왔다.

".........너도 참 할 일 더럽게 없나보구나."

거대기업 회장 할아버지가 말했다.

"....이런 데서 노닥거리는 할아버지보단 낫겠죠. 그리
고, 이 사람들, 연습생 아니예요.

가수들이죠."

윤태원이 말했다.

"......큭.......... 좋아하는 가수 하나 감정 분별 못해서
유난 떠는 꼴이라니...... 부잣집 아들답지 않구나."

거대기업 회장 할아버지가 말했다.

".......뭐라고요?"

윤태원이 말했다.

"....이번은 봐주는데...... 다음부턴 그러지 마라.

........세상엔 엄청난 돈과 권력을 가진 남자들이, 어마
무시하게 많거든..... 응?

.................아무리 윤태원 너라해도, 너 하나 매장시
키는 건, 일도 아니야."

거대기업 회장 할아버지가 말했다.

".....씨발.......... 그럴테면 그래보시죠......... 나도 안
막을 테니까."

윤태원의 말을 끝으로 거대기업 회장 할아버지가 나가
버렸다.

"........씨발............................."

윤태원이 기분이 나쁘다는 듯 자신의 두 손을 탈탈 털
었다.

룸 안에 여자 가수들이 애처롭게 울고있었다.

"...........야........... 너네들 왜 우냐.........."

윤태원이 물었다.

"야!! 넌 지금 안 울게 생겼냐??? 우리 인생 이제 쫑났
어!!!! 7년 계약은 어쩔거고,

계속 이런 자리 불려나올텐데.... 어떡하냐고!!!"

장다련이 말했다.

"........장다련, 너 나랑 스폰 관계였나?.........."

태원이 말했다.

"....응? 몰라.... 기억 안 나는데?"

다련이 말했다.

"나도 몰라........... 씨발........ 지장 찍었으면 스폰인거
지........ 내가 너 그냥 후원해줄테니까.....

........가수....... 그만 둘래?"

태원이 말했다.

"........뭐?"

다련이 말했다.

"........씨발...!!! 귀 먹었어??? 내가 너 그냥 후원해줄
테니까....!!! 가수 그만 두라고....!!!"

태원이 말했다.

".....아................"

태원의 그 말에 다련이 멍해졌다.

"....왜? 싫냐? 계속 이런 취급 받으며 살고 싶어?"

태원이 말했다.

".........사실은....... 싫어. 난 계속 가수 하고 싶어.
어떻게 해서 얻게 된 인기인데...... 직업인데.........
이대로 떠나보내긴 싫어. 내 팬들은 어쩌고........"

다련이 말했다.

".......나도........ 가수 장다련 보고 싶어."

김민지가 말했다.

"......후.... 나도 모르겠다...... 알아서 해라....... 씨
발...........

널 사랑하는 내가 병신이지.........."

윤태원이 거친 말을 내뱉으며 그자리에서 떠나버렸다.

룸 안에서는 훌쩍이는 여자 가수들의 소리만이 가득했
다.

......진작 이런 걸 알고 있었는데.......

.......왜 병신같이...... 아니라고 믿고 싶었던 걸까.

.......정말 병신 같이.............

*

10.

나 장다련은 그 뒤로 가수를 그만 두었다.

위약금은 그 동안 벌은 돈으로 전부 메꾸고, 자유의 몸이 되었다.

비록 또 다시 거지가 되었지만 말이다.

고등학교도 그만 두었다.

검정고시를 준비 중이다.

길거리에 돌아다녀도 망돌이었던 그 때처럼 날 알아보는 사람은 없었다.

그리고......

윤태원도.... 김민지도.....

모두와 절교해버렸다.

....나와는 상관없는 인물이라 생각하면서.

...태원의 광고 사진이 지나다닐 때면, 나는 시선을 피해버리고는 한다.

이제는, 정말로 나와는 상관없는 세계의 사람이 되어버렸으니까.

*

"씨발...... 장다련 어딨어-!!!"

윤태원이 크게 화를 내며 술집에서 친구들과 있는데

깽판을 치고 있다.

"...야.... 야... 걔 잊어..... 소속사 나가고 학교도 그만 두고 연 끊은지가 얼만데...."

그렇다. 일주일이라는 시간이나 흘러버렸다.

윤태원의 남자인 친구가 태원을 말렸다.

".......난....... 걔 없으면 안 된다고...... 씨발......"

윤태원이 술에 취한 목소리로 눈물을 흘렸다.

*

어느 새 또, 시간은 빠르게 흘러 고등학교 검정고시에 합격하고 대학교에 다니게 되었다.

가수가 되라는 신의 계시를, 그만 둬버렸지만, 언젠가는 좋은 날이 오겠지.

어찌된게 이 대학교는 전부 다 아웃싸이더들만 모여있었다...;;

나도 자발적 아싸가 되었다.

내 학과는 수학교육학과.

'장다련은 들어라!'

또.... 환청이다.

'대학교를 그만 두고 윤태원에게 가라!'

....이건.... 또 무슨 환청이지?

윤태원이라는 말에...

나도 모르게 내 발걸음이 움직여버려....

......아주 바보처럼.....

*

신이 가르쳐주는 방향대로 가보니, 윤태원이 높은 층
난관 위에 아슬아슬하게 걸터앉아있었다.

"....왔네. 내 속을 썩인 범인."

태원이 말했다.

".....야, 너 지금 뭐하는 거야!! 빨리 내려와!!"

다련이 말했다.

"....싫어. 이렇게라도 하지 않으면, 네가 오지 않을 거
잖아."

태원이 말했다.

"...김민지... 김민지는? 김민지는 어떻게 됐어?"

다련이 물었다.

"....김민지도 너처럼 가수 그만 뒀어. 성상납을 못 견
디겠다고."

태원이 말했다.

"...아...."

"....다련아..... 나 더 이상은 못견디겠다."

움찔.

처음으로 태원이 자신의 이름을 불렀다.

그 소리에 다련이 움찔했다.

"...왜?"

"......나...... 죽으려고. 미안했고. 미안해. 장다련-."

태원이 말했다.

".......아, 안 돼-!!!!"

다련이 말했다.

주인공이 죽어버리면.

이 빌어먹을 이야기가....

끝나버리잖아.

.......난 어떡하라고.

윤태원, 네가 이 이야기 속의 주인공이잖아.

난 그렇게 느끼는데.

태원아....

.......하지만 다련의 눈에서 태원은 이미 사라져버린 후였다.

그제서야 다련의 눈에서 눈물이 뚝뚝 흘러내렸다.

"윤태원-!!!!!!!!!!!!!!!!!!!!!!!!!!!!!!!!!!!!"

다련이 애처롭게 눈물을 흘리며 그 자리에서 윤태원을 부르며 자리에 주저앉았다.

그렇게 윤태원은,

...........죽었다.

......말도 안 되게도.

*

"....사망하셨습니다."

의사선생님의 그 말에, 우리는 모두 무너져내렸다.

윤태원이, 사망이란다.

그 천하의 윤태원이, 죽었댄다.

......씨발.

.........이게 말이 돼?

"거짓말이죠? 선생님. 거짓말이죠? 거짓말이라고 해줘
요. 제발. 제발-!!!!!!!"

다련이 의사선생님에게 말했다.

".....죄송하지만.... 사실입니다. 죄송합니다. 장례식장
쪽으로 가보시는게 좋을것 같습니다."

그 말 한마디 하고 의사선생님이 가버렸다.

다련은 멍한 기분에 그 자리에 서있다가, 장례식장으
로 달려갔다.

.......장례식장에선 윤태원의 웃는 모습이 영정사진으로
있었다.

고작 20살 밖에 안 먹은 그 애의 잘생긴 얼굴이,

끝내주게 잘생긴 그 얼굴이, 이제서야 슬프게 보여.

.........태원아, 미안해.

.....네 마음 몰라줘서........

..........정말로, 미안해..........

.......다음 세상에선, 내가 꼭 너를 먼저 사랑할게.

........다음 세상에서 만나자.

......사랑해, 윤태원.

다련이 그렇게 생각하며 눈물을 뚝뚝 흘렸다.

...........바보같이, 윤태원을 사랑한다는 사실을 깨닫지
도 못했던 자신을 탓하면서.

*

윤태원의 비보 소식은 어딜 가나 들려져 왔다.

워낙 유명 톱아이돌이었기 때문이겠지.

.......그 애가 죽은게, 다 나 때문인거 같아서 슬퍼져왔
다.

나 장다련.....

.......그 애 없이 살아갈 수 있을까?

아니, 난 그 애 없이 살아갈 자신이 없어.

......그래도, 한 번 살아볼게.

.....너 없이, 한 번 살아볼게. 태원아.

..........정말, 정말 미안해. 윤태원.

.....그리고............

....................사랑했었어.............

다련이 길거리 한복판에서 처량하게 울며 걸어가고 있
는데 한 여자가 손수건을 건네준다.

"......울지 마세요."

여자가 말했다.

"....감사합니다."

다련이 눈물을 닦고선 건네주려는데, 여자는 이미 가
고 없었다.

.........윤태원은, 이 세상에,

............없다.

*

윤태원이 죽은 뒤, 윤태원이 죽은 사실은 빠르게 잊혀졌다.

......그리고 1년이 지났다.

여전히 장다련은 대학교에 다니는 중이고,

오늘은 오랜만에 윤태원에게 편지를 쓰려고 한다.

[태원이에게:안녕? 태원아. 나 장다련이야. 기억하려나 모르겠다.

...내가 네 곁을 그렇게 떠나고 나서 네가 많이 힘들었다면서. 나 그 사실 다 들었어.

...김민지 통해서. 어쨌든, 네가 나 때문에 그렇게 죽은 거 같아서... 너무 마음이 아파.

..우리 다음 세상이 있다면, 그 세상에서는 꼭... 행복하자. 행복하게 살아서,

...본 때를 보여주자! 알았지? 고마웠어. 태원아. 사랑했었고, 사랑했고, 사랑해.

이 말을 이제서야 해서 너무 미안해. 우리 다음 생에는 싸우지 말자.

...고마웠어. 윤태원. -다련이가-]

곱게 접은 편지지를 편지봉투 안에 넣고 스티커를 붙였다.

그리고 밖에 나가 편지를 태원이가 자살했던 그 자리에 놓았다.

그러자 신이 그 편지를 하늘로 가져갔다.

편지가 하늘로 둥둥 바람에 휘날려 날아갔다.
다련의 눈물도 바람에 휘날려 날아갔다.
"네가 살아있었더라면 얼마나 좋았을까......."
다련이 혼잣말했다.

*

完.

작가의 말:ㅠㅠ첫 새드엔딩이네요...... 고생하셨습니다.... (본 사람 딱히 없는 것 같지만....)
쓴 기간:2024.4.20~2024.5.4.

잔다르크 줄거리

학교에 다니던 평범한 10살의 장다련.
그녀는 어느 날 갑자기 가수가 되어 세상을 비추라는 신의 계시를 받고
가수 연습생이 된다. 그러나 그녀가 가수가 되는 과정은 녹록치 않은데...

잔다르크 등장인물 소개

장다련/김원빈-10살. 학교에 다니던 어느 날 가수가 되라는 신의 계시를 받고선 대형 소속사의 가수 연습생이 된다.

김민지-10살. 장다련의 회사 연습생 친구. 데뷔조에서 떨어져 중형 소속사로 옮기고 다련과 헤어지게 된다.

윤태원-10살. 장다련과 동일한 대형 기획사의 남자 연습생.

김하나-24살. 대형 소속사 잔다르크엔터테인먼트의 보컬 선생님.

이새유-10살. 민하린의 친구.

민하린-10살. 장다련의 학교 친구.

김민주-10살. 장다련의 연습실 친구.

이혜정-10살. 장다련의 연습실 친구.

유지예-10살. 장다련의 연습실 친구.

박서준-38살. 대형 소속사 잔다르크엔터테인먼트의 대표이자 프로듀서.

한동주-10살. 윤태원 친구.

김정민-11살. 데뷔조.

진 선-11살. 데뷔조.

이소정-17살. 유지예의 여성팬.

박서진-16살. 이혜정의 여성팬.

추도빈-17살. 장다련의 남자팬.

진미연-15살. 톱스타 여자아이돌.

왕티엔이-17살. 무대예술고등학교 남학생.

후원엔터테인먼트-김민지,왕티엔이,장다련이 소속된 중형 기획사.

유혜원-17살. 무대예술고등학교 여학생.

손지예-17살. 무대예술고등학교 전학생. 여학생이다.